KB196782

매스미디어와 미신

Mass Media and Superstitions

이제영 著

매스미디어와 미신

KSI 한국학술정보㈜

머리말

본 저서는 디지털시대에 있어서 현대인들의 문화적 향유에 관하여 '매스미디어와 미신'이라는 학술적 관점에서 전문가와 일반인을 대상으로 연구된 내용으로 구성되어 있다. 특히, 이 글은 매스미디어에 대한 다양한 정책적 함의와 '미신'이라는 측면이 매스미디어에 미치는 다각적인 논의에 대해서 명확히 밝히고 이에 대한 내용을 구체적으로 살펴보는 데 그 의미를 두고 있다.

어느 나라, 어느 문화에서나 사람들은 행운 또는 불운을 이야기하는 미신(superstition)이 있기 마련이다. 물론 동서양 할 것 없이, 이러한 미신 관련내용들이 있는데, '대개 재수가 없다'고 여기는 것들이 대부분일 것이다.

흔히, 서양의 미신은 서양 문화의 한 축으로 자리잡아온 기독교 세계관으로부터 역파생되어 흘러나온 것이 많다. 예를 들어, 'Friday the 13th'에 관하여 서양인들이 불길하게 여기는 것은 예수 그리스도가 십자가에 못 박혀 처형되기 전 그의 열두 명의 제자와 함께 한 최후의 만찬(The Last Supper)이 금요일이었고, 예수 그리스도를 포함하여 모두 13명이라는 데서 시작된 것이다. 13일의 금요일을 소재로 한 공포물 영화는 바로 이러한 연유에서이다.

프랑스에서는 네 잎 클로버(four-leaf clover)를 찾으면 행운이 찾아온다고 여기는 것은 프랑스의 명장 나폴레옹의 경우가 그러했기 때문인데, 전쟁터에서 나폴레옹을 향해 날아가던 총알은 나폴레옹이 네 잎 클로버를 발견하고 몸을 굽힌 사이 그의 머리 위로 지나가 버렸으므로 결국 네 잎 클로버 때문에 나폴레옹은 생명을 구하게 되었다고 한다.

이제 21세기 디지털시대이자 첨단과학·인터넷 정보 시대가 활짝 열렸지만 '점(占)'은 사라지지 않고 개인별, 단체별, 다문화적 측면에서의 '운명산업'으로 진화하고 있다. 즉 젊은이들 구미에 맞춰 재미를 강조하고 있고, 재테크·입시·이혼 등 전문(專門) 영역으로 세분화되고 있다. 이를 증명이라도 하듯, 인터넷상에서의 '운세' 콘텐츠는 '게임' 다음으로 불티나게 팔리고 있으며, 참여하는 고객들도 과거의 주부나 공무원 등에서 전문직으로, 중년에서 대학생 등으로 확대되고 있는 추세이다.

이처럼, '미신'으로 여기던 역술은 이제 제도권 교육 및 학술의 영역으로까지 스며들어 왔다. 최근 전국 10여 개 대학에 관련 학과가 봇물 터지듯 개설되기 시작했다. 특징은 실용적인 학문으로 재무장했다는 것이다.

이에 본 저서에서는 이러한 모습들을 비추어 보고, 파악할 수 있는 사안측면에서 "매스미디어에서의 미신의 행태와 역할"이라는 의미를 중심으로 2가지 실증조사를 함으로써 훨씬 더 함축적 의미와 평가를 더하는 데 초점을 두었다.

본 저서의 주요 구성을 살펴보면 다음과 같다.

제1부 "들어가며"에서는 제1장 문제의 제기 및 연구목적, 제2장 기존문헌에 대한 검토, 제3장 연구문제 및 연구가설, 제4장 연구방법 등이며, 제2부 "이론적 배경 및 현황 논의"에서는 제1장 현대사회와 미신(제1절 현대 매스미디어와 미신, 제2절 한국과 미국의 미신 유형, 제3절 현대사회와 매스미디어), 제2장 한국의 매스미디어와 미신 현황

(제1절 일간지, 제2절 월간 및 주간잡지, 제3절 방송매체) 등으로 구성되었다.

다음으로, 제3부 "매스미디어와 미신 관련 실증연구"에서는 제1장 국내 일간신문의 '오늘의 운세'란에 대한 독자 조사(제1절 조사방법 및 절차, 제2절 조사결과 및 분석), 제2장 Q방법론에 따른 연구설계 및 해석(제1절 연구방법, 제2절 연구설계, 제3절 Q방법론의 의미와 평가, 제4절 연구결과의 해석) 등으로 이루어졌다. 마지막으로, 제4부 "나오면서"에서는 제1장 요약 및 결론, 제2장 연구의 한계점 등으로 집필되었다.

무엇보다도, 이 저서의 장점은 일반인들이 이와 같은 분야에 쉽사리 접할 수 없는 '학술적 접근'이라는 배경하에 '매스미디어와 미신'이라는 내용을 중심으로 쉽게 논의를 하였다는 점에서 관련 미디어전공자는 물론, 일반인들도 편히 읽을 수 있다는 점이다.

끝으로, 본 저서에서 저자가 참고할 수 있도록 좋은 글을 제공해 주셨던 여러 저자 분들에게 감사드리고, 지금껏 지극한 사랑으로 키워주신 부모님께 감사의 마음을 전하고자 한다. 끝으로, 미흡한 부분이 많았는데도 불구하고 출판을 도와주신 한국학술정보(주) 관계자 여러분과 끝까지 원고를 편집해주신 임은정 선생님에게도 고마움을 전한다.

2008년 5월
관동대학교 광고홍보학과 연구실에서
이 제 영

목 차

제 1 부

들어가며 / 13

제1장 문제의 제기 및 연구목적 / 14
제2장 기존문헌에 대한 검토 / 19
제3장 연구문제 및 연구가설 / 23
제4장 연구방법 / 25

제 2 부

이론적 배경 및 현황 논의 / 27

제1장 현대사회와 미신 / 28
    제1절 현대 매스미디어와 미신 / 28
    제2절 한국과 미국의 미신 유형 / 38
    제3절 현대사회와 매스미디어 / 64
제2장 한국의 매스미디어와 미신 현황 / 71
    제1절 일간지 / 71
    제2절 월간 및 주간잡지 / 73
    제3절 방송매체 / 73

제 3 부

매스미디어와 미신 관련 실증연구 / 75

제1장 국내 일간신문의 '오늘의 운세'란에 대한 독자 조사 / 76
　　제1절 조사방법 및 절차 / 76
　　제2절 조사결과 및 분석 / 77
제2장 Q방법론에 따른 연구설계 및 해석 / 112
　　제1절 연구방법 / 112
　　제2절 연구설계 / 113
　　제3절 Q방법론의 의미와 평가 / 119
　　제4절 연구결과의 해석 / 125

제 4 부

나오면서 / 137

제1장 요약 및 결론 / 138
제2장 연구의 한계점 / 146

참고문헌 / 147
부 록 / 157

표 목차

〈표 1〉 매스 커뮤니케이션의 활동: 오락기능   67

〈표 2〉 미디어 자체의 시각에서 본 미디어의 기능   68

〈표 3〉 사회적 시각에서 본 매스미디어의 기능   68

〈표 4〉 수용자의 시각에서 본 미디어의 기능   69

〈표 5〉 미신에 대한 관심도   78

〈표 6〉 미신에 대한 신뢰도   79

〈표 7〉 미신을 믿지 않는 이유   79

〈표 8〉 미신을 긍정적으로 생각하는 이유   80

〈표 9〉 점(占)을 보거나 치는 것에 대한 질문   81

〈표 10〉 A그룹: 점(占)을 보거나 치러 가는 이유   81

〈표 11〉 B그룹: 점(占)을 보거나 치러 가는 이유   82

〈표 12〉 '미신'의 정보를 접하는 경로   83

〈표 13〉 '오늘의 운세' 기사를 다루는 신문에 대한 구독률   84

〈표 14〉 신문에 대한 열독률   85

〈표 15〉 '오늘의 운세' 기사에 대한 열독률   85

〈표 16〉 '오늘의 운세' 기사에 대한 신뢰도   86

〈표 17〉 '오늘의 운세' 기사에 대한 심리적 효과   87

〈표 18〉 긍정적인 운세풀이에 관한 질문   88

〈표 19〉 부정적인 운세풀이에 관한 질문   88

〈표 20〉 '오늘의 운세' 기사와 '바둑' 기사, '외국어교실' 기사 등을
비교할 때, "만물의 영장인 인간이 왜 운에 매달릴까?"라는

질문에 관한 사항   89

〈표 21〉 운과 의지에 관한 가치관   90

〈표 22〉 '운세', '역술' 관련 전문서적 및 참고자료의 구독 여부   91

〈표 23〉 '미신'이나 '운세'에 관해서 듣거나 이야기해 본 것에

관한 사항   91

〈표 24〉 매스미디어에 나타난 '미신' 관련내용의

사회적·문화적 영향   92

〈표 25〉 연령별 분포   93

〈표 26〉 성별 현황   93

〈표 27〉 학력별 분포   94

〈표 28〉 결혼의 유무   94

〈표 29〉 직업별 분포   95

〈표 30〉 종교별 현황   96

〈표 31〉 소득별 분포   96

〈표 32〉 연령에 따른 미신에 대한 관심도   97

〈표 33〉 연령에 따른 미신에 대한 신뢰도   98

〈표 34〉 성별에 따른 미신에 대한 관심도   98

〈표 35〉 학력에 따른 미신에 대한 관심도   99

〈표 36〉 결혼의 유무에 따른 미신에 대한 관심도   99

〈표 37〉 소득에 따른 미신에 대한 관심도   100

〈표 38〉 성별에 따른 미신에 대한 신뢰도   101

〈표 39〉 학력에 따른 미신에 대한 신뢰도   101

〈표 40〉 결혼의 유무에 따른 미신에 대한 신뢰도   102

〈표 41〉 연령에 따른 '오늘의 운세' 기사에 대한 열독률   102

〈표 42〉 학력에 따른 '오늘의 운세' 기사에 대한 열독률   103

〈표 43〉 성별에 따른 '오늘의 운세' 기사에 대한 열독률   104

〈표 44〉 연령에 따른 운세·역술 관련 전문서적 및

참고자료의 구독 여부   104

〈표 45〉 성별에 따른 운세·역술 관련 전문서적 및
　　　　참고자료의 구독 여부　　　　　　　　　　　　　104
〈표 46〉 학력에 따른 운세·역술 관련 전문서적 및
　　　　참고자료의 구독 여부　　　　　　　　　　　　　105
〈표 47〉 연령에 따른 '오늘의 운세' 기사에 대한 신뢰도　　106
〈표 48〉 성별에 따른 '오늘의 운세' 기사에 대한 신뢰도　　106
〈표 49〉 학력에 따른 '오늘의 운세' 기사에 대한 신뢰도　　107
〈표 50〉 미신에 대한 관심도와 '오늘의 운세' 기사에 대한
　　　　신뢰도의 관계　　　　　　　　　　　　　　　　108
〈표 51〉 미신에 대한 신뢰도와 '오늘의 운세' 기사에 대한
　　　　신뢰도의 관계　　　　　　　　　　　　　　　　108
〈표 52〉 '오늘의 운세' 기사에 대한 열독률과 '오늘의 운세'
　　　　기사에 대한 신뢰도의 관계　　　　　　　　　　109
〈표 53〉 미신에 대한 관심도에 따른 매스미디어에 나타난
　　　　'미신' 관련내용의 사회적·문화적 영향력 비교　　110
〈표 54〉 성별에 따른 매스미디어에 나타난 '미신' 관련내용의
　　　　사회적·문화적 영향력 비교　　　　　　　　　　111
〈표 55〉 각 진술문의 긍정 및 부정 의견 점수 분포방식　　116
〈표 56〉 Q진술문의 유형별 표준점수　　　　　　　　　　116
〈표 57〉 조사대상 인구학적 특성 및 유형별 인자가중치　　118
〈표 58〉 유형별 아이겐 값(eigen value)과 변량의 백분율　　126
〈표 59〉 유형 간의 상관관계　　　　　　　　　　　　　　126
〈표 60〉 제1유형에서 표준점수 ±1.00 이상을 보인 진술문　127
〈표 61〉 제2유형에서 표준점수 ±1.00 이상을 보인 진술문　131
〈표 62〉 제3유형에서 표준점수 ±1.00 이상을 보인 진술문　132
〈표 63〉 제4유형에서 표준점수 ±1.00 이상을 보인 진술문　136

제 1 부

들어가며

제1장 문제의 제기 및 연구목적

현재 우리는 과거 산업혁명에 필적할 만한 새로운 유형의 기술혁명을 경험하고 있다. 이 혁명은 정보 테크놀로지에 의해 야기된 것이고, 이는 도처에서 인간의 생활패턴을 변화시키고 있다. 새로 등장한 뉴미디어들, 예컨대 위성방송, Cable TV, HDTV 등은 바로 현대 테크놀로지가 우리의 정치적, 경제적, 문화적 제도에 광범위한 영향을 미치고 있다는 중요한 예가 된다.[1]

지금까지 기존의 매체 이외에 통신, 컴퓨터 및 각각의 뉴미디어 분야에서 현격한 발전을 하게 되어 미디어 간의 융합도 자연적으로 진전되고 있다. 특히 컴퓨터 분야에서의 고성능화와 멀티미디어화의 발전은 전파매체 및 인쇄매체 분야에 큰 영향을 주고 있다. 이와 더불어 20세기에 도입된 인공위성, 특히 방송위성의 등장은 전파매체의 역사에 있어서 커다란 획을 그었으며, 이로 인한 관련 매체들의 활발한 연계작용이 이루어지고 있다.

이와 같은 새로운 첨단 뉴미디어 기술의 도입으로 말미암아 현대인들은 폭넓은 개인과 사회 커뮤니케이션의 확대를 갖게 되었으며, 각종 매체 분야의 일대 변혁을 가져오고 있다. 특히 오늘날의 현대사회에 있어 매스미디어의 등장과 발달이 가져온 변화는 실로 획기적인 것이라 할 수 있을 것이다.

---

1) 서울대신문연구소 · 문화방송(1992). 『동북아지역에서의 방송질서 변화와 대책』. 나남출판사. p.201.

  이처럼 뉴미디어는 현대인들과 아주 밀접한 관계를 맺게 되었으며, 새로운 매체들이 현대인에게 있어서 차지하는 공간은 대단하다고 할 수 있다. 그러나 이러한 시대적 추세 속에서 인간의 본성에 편승하여 최근에 연말연시 혹은 세기말만 되면, 등장하는 '예언붐', '운명론' 등의 운운이 각종 뉴미디어를 배경으로 여러 사건들과 어우러져 그 고삐를 내밀고 있다. 특히, 전파매체 및 인쇄매체에서의 역술 및 무속신앙 추종자들의 출현 및 언급이 보이면서 그 파급효과에 대한 찬반논쟁이 제기되고 있는 실정이다.

  종종 우리의 사회 일각에서는 점술2)과 무속3)을 빙자한 미신4)이

---

2) 동아일보 外(1993). "세계대백과사전 제19권". p.161.
   점술(占術: divination)이란 자연적 · 심리적 수법 등 다양한 방법으로 미래를 예언하는 일이다. 모든 문화(고대사회와 현대사회, 원시사회와 고도의 문명사회)와 모든 지역에 존재한다. 점술이 미래를 정확하게 예언할 수 있음을 입증하는 과학적인 증거는 제시된 바 없다. 점술의 방식은 귀납적 · 해석적 · 직관적 방식으로 분류할 수 있다.

3) ① 김정희(1994). 『한국민속학의 이해』. 문학아카데미. p.128.
   무속이란 글자그대로 무당을 주축으로 민간에서 전승되는 종교 습속을 말한다.
   ② 동서문화(1995). "한국 세계대백과사전 제10권". pp.5648-5650.
   무속은 민간의 종교적 현상인 민간신앙(民間信仰) 중에서도 가장 확고한 신앙체계를 이루고 있다.

4) ① Merriam Webster(1980). "Webster's New Collegiate Dictionary". U.S.A: G and C Merriam Co.: p.1161.
   미신(迷信: superstition)이란 무지(無知) 때문에 생기는 믿음이나 인습이며 알지 못하는 것에 대한 두려움이다. 불가사의(不可思議)한 일이나 우연(遇然)을 신뢰하는 행위이며 인과관계에 대한 그릇된 개념을 뜻한다. 초자연이나 자연현상에 대한 불합리한 태도이다. 과학적 근거가 박약하거나 전무하지만 이에 개의치 않고 자기의 신념을 고수하여 실생활에 반영하는 의식이나 행위이다.
   ② 광주가톨릭대학 전망편집부(1988). 『신학전망』 제80호. pp.16-17.
   미신(迷信)이란 일종의 초인간적 힘을 전제하는 것으로, 무엇이라 규

확산되고 있다. 즉 이러한 '예언붐'은 연이은 대형사고와 정치적·경제적 격변이 가져오는 불확정성, 그 속에서 치러지는 잇따른 선거가 신비주의적 예언능력에 대한 대량적인 수요를 자아내고 있다. 이 같은 우리 사회에 대한 불안심리가 가중되어서 국내 주간지 및 일간지에서는 하루의 운세 및 사람의 운명에 대해서 상세히 취급하고 있다. 또한 각종 미신과 예언에 대한 관심이 집중되고 있는 연말연시와 세기말을 중심으로, 매년 12월 15일부터 다음해 1월 15일까지의 기간에 이에 관련된 서적들이 다수 출판되고 있다.

문화적 금기사항에는 저속한 표현(vulgarism), 저주(curses)나 미신에 속하는 금기적 표현이 있다. 즉 미신은 불합리한 습성이나 믿음이지만 의식구조에 대한 현실적 바탕(Superstition is the living relics of ways of thought)으로서 언어로 표현되거나 행동으로 나타나고 혹은 내면적 의식 속에 잔류되어 있다.[5] 즉 과학적으로 설명할 수 없다는 이유로 기원(祈願)·점술·예언 등에 관한 모든 속신(俗信)[6]을 미신이라고 말할 수 없으나, 속신에서 말하는 인과관계가 과학적 판단과 분명히 모순될 경우에는 하나의 기준이 될 수 있다고 하겠다. 우리나라를 비롯한 중국·일본 등지에서는 갖가지 점(占) 이외에도 액년(厄年)이니 액일이니 하는 일력(日歷)에 관계되는 것 또는 관상(觀相)·

정지을 수는 없으나 인간의 운명이나 세계의 역사를 좌우하는 초월적 힘을 인정하고 그 존재에 의지하여 생사길흉(生死吉凶)을 점치고 행복을 추구하는 행위를 종합적이고 일반적으로 지적하는 개념이다.

5) Hole, Christian(1975). "Encyclopedia of Superstitions". London: The Anchor Press Ltd. p.7.

6) 태극출판사(1973). "대세계백과사전 제12권〈종교〉". p.355.
속신(俗信)이란 어느 한 현상이나 사물(甲)을 조짐(兆朕)으로 간주하여 거기서 어떠한 결과(乙)가 생기리라고 확신하는 믿음과 그로 말미암은 행동을 말한다.

수상(手相) 등 신체에 관한 것들이 현재도 많이 행해지고 있다.[7] 이러한 미신에 대한 인간 본연의 의존의식으로 말미암아 무분별한 자기 도취나 미래에 대한 막연한 바람이 증가되고 있는 것이다.

다시 말해서 후진국에서나 볼 수 있는 점술이 이처럼 크게 유행하고 있는 것이다. 물론 우리 사회에서 이런 풍조가 일어나는 것이 그렇게 이상한 것은 아니다. 우선 모든 사람은 미래에 대해서 관심이 있고 자신의 운명을 알고자 한다. 인간은 근본적으로 불안한 존재이기 때문이다. 실제로 점술과 무속이 전통사회에서 하나의 민속으로 존속해 왔고, 개인의 현재와 미래에 대한 불안을 일시적으로나마 해소해주는 카타르시스적 기능을 해 온 것은 사실이다. 특히 현대 과학의 발전으로도 극복할 수 없는 인간의 인지능력의 한계에 대한 안타까움이 역술과 같은 신비주의를 자극하고 있는 것도 사실이다.

그렇지만 이런 상황을 비판하고 국민의 잘못된 호기심을 경계해야 할 언론 매체들이 오히려 무녀(巫女)의 사진을 대문짝만 하게 크게 싣고 사회의 이목을 예언과 점술에 집중시키고 미신을 조장하고 있는 것이다. 즉 매스미디어가 오히려 이에 대한 과학적인 합리성을 논하기보다는 상업주의에 파묻혀 과학적 근거가 희박한 예언들을 경쟁적으로 취급하거나 이에 대한 과대선전 및 맹신의 자태를 보인다면, 이것은 결과적으로 일반대중들에게 예언과 운명론적 사고를 확산시켜주는 역기능을 낳을 것이란 비판을 모면하기는 어려울 것이다.

이에 본 저서에서는 현재 이러한 매스미디어에 나타난 미신과 관련된 기사 및 내용에 대한 현황 파악과 동시에, 이를 애용하는 일반대중들의 인지도와 수용형태를 통해 살펴봄으로써, 매스미디어와 미신 관련기사 내용 간의 상호 연관성 및 그 대중적인 영향에 관해 알아보고

---

7) 앞의 책(1973). 태극출판사. p.88.

자 한다.

　이와 함께 필자는 매스미디어를 통한 미신 관련내용의 파급효과를 살펴봄과 동시에 사회적 영향력의 적합성을 논하는 데 **의의**를 두고자 한다.

제2장 기존문헌에 대한 검토

이제까지 매스미디어와 미신에 관련된 선행연구는 거의 전무한 상태이다. 최근까지 인쇄매체 및 전파매체의 집중적인 관심의 대상으로 미신 관련내용이 각광을 받아 왔다. 이에 따라서 전파매체 및 인쇄매체에서의 미신 관련기사 및 서적이 우후죽순 쏟아져 오고 있다.

한편 무속신앙을 미신으로 취급하는 시각으로 연구한 학자들은 몇몇 학과를 중심으로 연구활동을 계속하고 있다. 그렇다면 무속신앙을 미신으로 취급하여 매스미디어와의 상관성을 논하지 않은 학술적 성과, 즉 본 저서의 시각을 확장시키는 데 도움이 될 만한 몇 편의 논문을 살펴보도록 하겠다.

지금까지의 미신에 관한 연구는 크게 두 가지로 나누어 볼 수 있는데, 즉 (1) 무속신앙과 관련된 연구, (2) 커뮤니케이션과 미신 및 무속신앙을 연관지은 연구 등이었다. 따라서 필자는 이러한 연구들의 연구목적과 연구결과를 살펴보고, 이에 따른 적합성을 제안하고자 한다.

먼저 무속신앙과 관련된 연구를 살펴보면, 무속신화에 관한 내용과 더불어 무속신앙과 여성과의 관계 등에 관한 연구로 요약될 수 있겠다.

강유리[8]는 무속신화의 구연 현장에서 채록된 텍스트를 자료로 하여 화자의 텍스트 구성방식을 그 서술특성과 문체특성을 중심으로 하여 살펴보며, 즉 신화의 화자가 신화를 이야기하는 방식을 통하여 신

---

8) 강유리(1993). "무속신화의 구연특성 연구". 서강대학교 대학원 국어국문학과 석사학위논문.

화가 신성한 이야기로 소통되는 방식에 관하여 살펴보고자 하였으며,
실제 구연 현장에서 무(巫)와 청중들이 보이는 무속신화 및 제의에
대한 역동적인 반응들에 대한 다각적인 접근을 통해서 무속신화에 대
한 전승집단의 서사인식태도를 보다 구체적으로 규명해 낼 수 있을
것이라고 결론짓고 있다.

윤란지[9]는 조선시대 이후 여성의 종교적 경향을 그들의 사회적 조
건, 특히 역할 및 지위와 관련하여 아래와 같이 설명하고 있다.

위 논문의 구체적인 연구목적은 다음과 같다.

첫째, 조선시대 이후 여성과 무속의 관계를 밝힘으로써 그들의 종교
적 경향이 과연 무속에의 친화성을 보이는가를 검토해 본다.

둘째, 이러한 종교적 경향과 그들의 사회적 조건, 특히 역할 및 지
위와의 관련성을 검토해 본다.

즉 그들의 역할과 지위가 그들의 종교적 경향을 설명할 수 있는 하
나의 요인으로서 가능한가를 고찰하고자 하였다. 결론적으로 연구자는
인식의 변화와 함께, 개인의 입장에 따라, 가정 또는 사회의 역할을
자유로이 선택할 수 있도록 여성에게도 모든 사회기구가 개방되어져
야 한다고 주장하고 있다.

이지영[10]은 신화가 논리적인 체계를 이루며 존재한다는 사실을 감
안하면서, 한국신화가 가지고 있는 그 체계성을 점검하고자 하였다.

최주렬[11]은 인신신앙을 연구함으로써 한국무속의 신관 이해에 기여

---

9) 윤란지(1978). "무속과 여성에 관한 일 연구: 한국여성의 역할 및 지위에
   관련하여". 이화여자대학교 대학원 석사학위논문.
10) 이지영(1994). "한국신화의 신격 유래에 관한 연구". 서울대학교 대학원
    박사학위논문.
11) 최주렬(1986). "한국무속의 인신신앙 연구". 연세대학교 교육대학원 석
    사학위논문.

함과 동시에 인신의 정체 및 인신신앙의 기능과 의미를 알아봄으로써
한국인의 종교적 심성의 근원을 파악하는 데 중점을 두었으며, 결국
인신신앙은 인간과 인간 사이에 궁극적 만족을 위해 형성되는 신앙으
로 종식될 수 없으며, 고등종교의 수용기반이 되었다는 사실과 인신신
앙의 종교적 의미는 한계가 있음을 밝히고 있다.

다음으로, 커뮤니케이션과 미신 및 무속신앙을 연계한 연구로 나눌
수 있겠다.

한성각12)은 한국의 고유문화인 무속에 관한 독립신문의 사회·교육
적 견해에 대해 연구 조사함으로써 그것이 한국 교육현실의 문제점들
이 발생하기까지 어떠한 원인으로 작용했는가를 알아보고자 하였는데,
결론적으로 한국의 무속관은 배척하고 외래문화에 대한 사대주의에 대
해서 비판하였고, 이러한 영향은 여전히 계속된다고 언급하였다.

김길곤13)은 무격(巫覡)과 내객(來客: 무격을 찾아가는 사람)과의
관계에 대한 필요성을 인지하여 이것을 커뮤니케이션의 측면에서 연
구하고 있다. 결론적으로 연구자는 신령(神靈)과 인간, 무격과 내객과
의 관계를 살펴보는 것으로 무속 커뮤니케이션의 모형을 설정하고 한
국무속을 커뮤니케이션의 측면에서 고찰하였다.

이성의14)는 연구를 수행하기 위해서 해박한 사회 언어학을 기초로
한 민속학의 지식이 있어야 하며, 많은 양의 문헌 조사가 필요하기 때

---

12) 한성각(1990). "무속에 관한 독립신문의 사회교육적 견해에 대한 연구".
    연세대학교 교육대학원 석사학위논문.
13) 김길곤(1977). "커뮤니케이션측면에서의 한국무속 연구". 서울대학교 대
    학원 석사학위논문.
14) 이성의(1990). "A Cultural Aspect of English Superstition: As Applied
    to English as a Second Language". 한국외국어대학교 교육대학원 석사
    학위논문.

문에 장기간의 연구기간이 필요함을 강조하고 있다. 또한 미신적 언어 습속 등을 주제로 한 것들은 거의 눈에 띄지 않으며, 이에 따라 연구자는 미신에 대한 문헌고찰을 통하여, 첫째로 영미인의 의식주, 자연관, 종교관 등의 저변에 깔려 있는 의식을 살펴 영미 미신의 형성 배경을 더듬어 보고, 둘째로 많은 미신적 표현 중에서 약 100개를 추출하여 이를 의식주, 자연, 종교, 안전 등의 부분으로 나누어 제시하여 대개 어떠한 표현이 있나 살펴보고, 셋째로 이와 같은 미신이 오늘날의 미국 문화와 어떤 연관성을 갖고 있냐를 알아보기 위해 미신이 영미 문화에 끼친 영향, 즉 미신이 어떻게 미국 문화로 정착했나를 규명해 보며, 넷째로 영미 미신의 금기적 표현과 우리 한국인이 유의할 점을 조사하여 제시하고자 하였으며, 사회 언어학적 지식 중에서 영미 미신에 대한 연구를 통한 '영미 미신의 형성배경', '영미 미신이 영미 문화에 끼친 영향', '영미 미신과 한국 미신과의 비교' 그리고 '영미 미신의 금기적 표현과 길어조'를 살펴봄으로써 영미 미신의 이해와 문화적 충격을 완화시키는 접종 구실을 하였다고 결론을 내리고 있다.

위에서 살펴본 결과, 현재까지의 '무속신앙' 그 자체를 학문적인 토대로 삼아 타 분야와 연계시켰으며, 이와는 반대로 무속신앙을 '미신'이라는 시각으로 취급하여 매스미디어와의 직접적인 관계를 논한 연구는 없었음을 알 수 있었다.

따라서 이러한 기존 문헌연구의 결과들은 본 저서의 실용성을 확인할 수 있다고 볼 수 있으며, 「매스미디어와 미신에 관한 연구」는 선구자적인 연구라고 할 수 있을 것이다.

제3장 연구문제 및 연구가설

본 저서에서는 매스미디어와 미신과의 관계를 살펴보기 위하여 다음의 **연구문제**를 설정하였다.

〈연구문제〉 매스미디어에 보도되는 미신 관련기사가 일반독자들에게 어떠한 영향을 미치고 있는가?

위의 내용을 구체적으로 서술하면 다음과 같다.

첫째, 우리나라의 매스미디어에서 보도되는 미신에 관한 기사의 실태는 어떠한가?

둘째, 신문의 '오늘의 운세'란에 대한 일반독자들의 열독성 및 신뢰도는 어느 정도인가?

위의 연구문제에 대한 **연구가설**은 다음과 같다.

첫째, 인구 사회학적 특성에 따라 매스미디어에 보도되는 미신 관련 보도내용에 대한 **의존도**[15])에는 차이가 있을 것이다.

둘째, 매스미디어에 보도되는 미신 관련내용에 따라 매스미디어에 대한 신뢰도에 차이가 있을 것이다.

---

15) 여기에서 '의존도'란 매스미디어에 대한 열독률, 관심도, 신뢰도 등을 의미한다.

셋째, 매스미디어에 보도되는 미신 관련내용에 따라 매스미디어 이용행태에 차이가 있을 것이다.

넷째, 매스미디어에 보도되는 미신 관련내용에 따라 사회에 대한 인식에 차이가 있을 것이다.

위의 연구가설에서 사용하고 있는 **조작적 정의**는 다음과 같다.

1) 매스미디어에 보도되는 미신 관련내용에 대한 의존도

매스미디어에 보도되는 미신 관련 보도내용에 대한 의존도는 일간신문의 '오늘의 운세'란을 어느 정도 읽는가와 어느 정도 신뢰하는가를 측정하고자 한다.

2) 매스미디어 이용행태

매스미디어 이용행태는 신문구독률, TV시청량, 잡지 및 서적에 대한 구매 정도를 측정하고자 한다.

3) 매스미디어에 대한 신뢰도

매스미디어에 대한 신뢰도는 신문기사 및 방송뉴스의 내용에 대한 신뢰도를 측정하고자 한다.

4) 사회에 대한 인식

사회에 대한 인식은 사회를 부정적·긍정적으로 보느냐의 차이와 커뮤니케이션 관계(대인관계의 질과 양)의 정도에 대한 차이를 측정하고자 한다.

제4장 연구방법

본 저서에서 문헌연구 및 기술적 서베이(descriptive survey)를 중심으로 기존에 연구된 것과 새로운 문헌자료들을 토대로 하여 브레인스토밍(brainstorming)적인 방법을 실시하며, 또한 이에 따른 문제점과 전망을 제시할 것이다. 구체적인 **연구방법**은 아래와 같다.

국내의 인쇄매체 가운데 미신 관련기사인 '오늘의 운세'란을 게재하는 일간지들 중에서 매일 게재하고 있는 종합지로서 독자층을 폭넓게 형성하고 있는 일간신문기사를 선정하였으며, 이에 위 신문의 구독자들을 대상으로 "미신에 대한 수용자 평가조사"를 무작위 설문조사로 실시하였다.

설문조사에 사용되어진 조사방법은 다음과 같다.

조사대상은 1999년 11월-2000년 1월 사이에 서울 지역에서 무작위로 지정된 신문보급소 지역권을 중심으로 의도적인 표본(purposive sample)으로 선정된 독자들이다.

표본의 크기는 조사의 성격, 예산범위 및 시간적 제약 등을 고려하여 300명으로 그 인원을 한정하였다. 본격적인 설문조사 실시 전에 설문지의 신뢰도를 높이기 위해서 한국외국어대학교 대학원생 3명과 학부생 10명을 대상으로 사전조사(pretest)를 실시하여 최종설문을 완성하였다.

조사는 1999년 11월 말경부터 2000년 1월 초순까지 두 번에 걸쳐서 실시하였다. 자료의 분석에 사용될 설문지의 전체 수는 300부이기 때문에 여러 가지(변수) 사항을 고려하여 350부를 조사하였다. 회수된 320부의 설문지 중에서 판독이 가능한 것만 코딩과정에 포함시켰다. 수집된 설문지는 한국외국어대학교 신문방송학과 5명의 대학원생들에 의해 코딩작업을 거친 후, SPSS/PC+ 통계 패키지 프로그램을 이용하여 분석하였다.

제 2 부

이론적 배경 및 현황 논의

제1장 현대사회와 미신

제1절 현대 매스미디어와 미신

1. 미신의 의미

미신의 의미를 논하기 이전에 먼저 그 유사한 개념적 특성을 살펴
보고자 한다. 현재 우리의 생활주변에서 경험하는 무속신앙, 무속(혹
은 샤머니즘16)), 역술, 주역, 점술, 무당 등의 명칭들이 섞여 사용되고
는 있으나, 어느 것 하나 확실한 경계선을 그을 수 없을 정도로 그 의
미의 상호 관련성은 아주 높다고 볼 수 있다.

실제로, 한국에서는 관련단체를 제외하고는 대대로 내려온 민간신앙
의 분명한 개념적 정의를 인식하고 있는 사람은 드문 상태이다. 이에

---

16) 최상수(1988). 『한국 민속문화의 연구』. 성문각(倫). p.132.
   서양학자들은 무속(巫俗)을 샤머니즘(Shamanism)이라고 하거니와, 샤
   만(Shaman)이라고 하는 말은 산스크리트의 슈라마나(Sramana: 沙門),
   페르샤어의 쉐멘(Shemen: 偶像)에서 유래되었다고 하는 設도 있으나,
   막스 뮐러(F. Max Müller)나 반사로(D. Bansarow) 같은 학자들은 이를
   부정하고 있다. 샴(Sam)은 만주어, 몽고어 등에서 '흥분·불안의 상태'
   를 나타내는 말로서, 샤만이라는 종교적 직능자는 흥분하여 쉬지 않고
   여기 저기 춤추는 광적인 인간을 뜻한다. 샤머니즘은 神들린 종교적 직
   능자를 가진 원시종교의 한 형태인 것이다. 샤만이라고 하는 말 자체는
   퉁구스, 부리야트 등의 여러 종족 간에 사용되는 것이나, 좁은 뜻으로는
   시베리아의 특징 있는 종교의 호칭이었다.

따라 저서에서 사용되는 '미신'의 개념은 포괄적이고 객관적인 입장에 서 상호 보완적인 내용을 중심으로 다루고자 한다.

(1) 미신의 개념

현재 세계에서 유행하고 있는 각종 미신은 옛날의 전설 외에 과학 으로 가장한 최신형까지 포함하여 수적으로나 그 인기도로나 가공할 정도라고 할 수 있다.

역사적 문헌 가운데 민간신앙에 대해 언급해 놓은 것을 흔히 볼 수 있지만, 대부분이 너무 간단한 내용이며, 그나마도 '미신'이라는 편협한 입장에서 본 것이므로 이를 긍정적으로 이해하려는 사람에게 도움이 될 만한 별 자료가 없다. 미신이라고 번역되는 영어의 슈퍼스티션 (superstition)이란 말은 과거로부터 「이어져 내려온 것」을 의미한다.[17]

구체적으로 미신이란 원래 영어의 "*Superstition*", 독일어의 "*Aberglaube*" 를 번역한 말로서, Britannica 백과사전에서는 첫 문단에서 다음과 같이 설명하고 있다.

> "*Superstition: An irrational belief, half belief or practice. Those who use the term imply that they have certain knowledge or superior evidence for their own scientific, philosophical or religious convictions. But the word is ambiguous and it seems likely that it cannot be used exact subjectively. With this qualification in mind, superstitions may be classified roughly as religious, cultural and personal.*"

---

17) Gary Jennings 저 · 외문기획 역(1991). 『엉뚱한 과학사: 마법, 점성술, 연금술, 요정, 괴물의 역사』. 한울림. p.215.

위의 인용문에서 미신이란 말이 첫째 비합리적 신앙 또는 행위이며,
둘째는 주관적으로 우월감을 갖고 사용되며, 셋째는 뜻이 모호하며 종
교적 문화적 신상(身上)적인 데에 넓게 사용되고 있음을 알 수 있다.
관관지씨(關寬之氏)의 연구에 의하면 "Superstition"이나 "Aberglaube"
가 세 가지의 뜻을 갖고 사용되고 있다는 것이다. 즉 첫째는 신앙에 대
한 "여분(餘分)", 둘째는 원시종교의 형태가 그대로 현대에 "잔존(殘
存)", 셋째는 정신(正信)에 대한 "미오(迷誤)"의 뜻을 갖고 있다.18)

또한 미신(迷信: superstition)이란 조직적 종교에서와 같은 교리·신
조가 없으며 아무런 과학적 근거도 없는 불합리하고 허황된 것을 믿는
일을 가리킨다. 일반적으로 속신(俗信) 중 사회생활에 실해(實害)를 미
치고 도덕관념에도 위배되는 다분히 주술적(呪術的) 요소가 짙은 맹신
(盲信)의 경우를 가리킨다. 이 미신에 관한 언어학적 개념은 복잡하여
독일의 언어학자인 그림스는 신앙을 일컬어 한계선을 지난 것 또는 그
이상의 것이라 하여 「Oberglaube=Überglaube」(라틴어로 superstito)라
는 단어로 표현하고 있다. 또 어떤 학자는 「Hinterglaube」(신앙배후) 혹
은 「Unterglaube」(신앙이후)로도 표현한다.19) 어쨌든 정상 종교의 신
앙규범을 벗어난 신앙형태를 가리킨다.

넓은 의미에 있어서 'superstitions'의 주제는 점·예언(divinations),
주문·마력(spells), 치유(cures), 징조(signs and omens), 종교적인 의
식(rituals), 금기(tab+oos) 등이 속한다.20) 또한 일본 Heian시대의 미
신의 범주는 네 가지로 나누어진다. 즉 (1) 토착신앙(spirits of native

---

18) 민속학회(1974). "한국민속학: 미신타파에 대한 일 고찰". pp.43-44. 재
   인용.
19) 학원출판사(1993). "학원 세계대백과사전 제11권". pp.510-511.
20) Iona Opie & Moiratatem(1989). "A Dictionary of Superstitions". Oxford
    New York: Oxford University Press. Preface(v).

derivation), (2) 외국의 귀신(imported demons), (3) 초자연적인 능력
을 가진 동물(animals endowed with supernatural powers), (4) 초자
연적인 물체(inanimate objects endowed with supernatural powers)
등이다.[21]

　앞에서 언급했듯이, 점술이나 유령의 관념 등 조직되지 않은 단편적
신앙을 속신(Vulgar belief)이라고 부르며, 일반적으로는 이러한 속신
가운데서 사회생활에 실제로 해가 된다고 여겨지는 것을 미신이라 부
른다. 다만 판단의 기준은 사회 통념에 의한 것으로서 시대나 지역에
따라 달라진다. 보다 일반적인 기준이라고 불리는 과학적인 합리성의
유무라는 것은 신앙이 어떠한 종류의 신앙이라 해도 원래 비합리적인
요소를 포함하는 것이므로 똑같이 적용할 수는 없다. 즉 과학적으로
설명할 수 없다는 이유로 기원, 점술, 예언 등에 관한 모든 속신을 미
신이라고 말할 수 없으나, 속신에서 말하는 인간관계가 과학적 판단과
분명히 모순될 경우에는 하나의 기준이 될 수 있다고 하겠다.[22]

　우리 사회에서 일반인들은 '무속'이니 '미신'이니 하는 말을 들으면
곧 점을 치거나 손금·관상·사주를 보는 일, 고사를 드리거나 치성드
리는 일, 장님의 독경, 무당의 푸닥거리나 굿 등과 직결시켜 생각하는
경향이 있다. 특히 무지하고 가난한 계층의 사람들 사이에서 행해져
온 모든 의사종교적(擬似宗敎的)인 행위나 세시풍습은 무속적 행위이
고, 그것은 바로 미신이라는 식의 고정관념과, 우리 문화 속에 남아
있는 이러한 미신적 요소는 부끄럽고 수치스런 것이니 하루 속히 타
파해야만 우리나라가 근대화할 수 있다는 식의 주장[23]은 최근까지도

21) Jolanta Tubielewicz(1980). "Superstitions Magic and Mantic Practices
　　in the Heian Period". WARSZAWA. p.33.
22) 앞의 책(1973). 태극출판사. p.92.

공공연하게 거론되어 왔던 것이 사실이다. 그러나 실제로 무속의 정체
는 과연 무엇이고, 그것은 어찌해서 미신인가 하는 문제에 대해서 명
쾌한 대답을 찾는 것은 무속을 미신으로 국한하는 것만큼 쉬운 일이
아니다. 왜냐하면 막연하게 무속이니 미신이니 할 때에 그 범주에 포
함되는 종류와 범위는 한없이 잡다하고 넓어질 수 있을 것이기 때문
이다.

(2) 미신의 성격 및 역할

현재까지 신문이나 잡지 혹은 그 밖의 매체에 나타나는 미신에 대
한 인식은 다양한 모습을 보여주고 있다.

요즘 북한사회에서는 청소년들 사이에 '운세보기'가 크게 유행하면
서 관련 책들까지 은밀히 나돌고 있는 것으로 알려졌다.[24] 또한 1994
년 7월 김일성 사망 이후 북한에선 점술, 사주풀이 등 운명감정이 부
쩍 성행하고 있다.[25]

미신이란 말은 종교적인 신앙 혹은 과학과는 상대적인 말이다. 종교
에 있어서는 교리가 있고, 교조(敎祖)가 있고 교단이 있는 데 비해서
미신은 그렇지가 않다. 따라서 과학적인 진리와 일치하지 아니하며 신
령감에 사로잡히거나 신비성을 크게 평가하여 여기서 주술적인 생각
과 행위를 하게 되는 것이다. 미신은 과학적 타당성이나 이교(理敎)에
맞는 것은 아니지만 여하튼 현실적으로 우리 생활 속에 존재하는 것
만은 사실이다. 오랜 관습에 의해서 자신도 의식하지 못하는 사이에
미신적인 생각과 행위를 하는 수가 많다. 오랜 생활전통이 되어 관습

23) 한국일보, "김동길: 너무 뒷걸음질할 수는 없다", 1984.2.2.
24) 동아일보, "北청소년들 '운세보기' 유행", 1997.4.14.
25) 세계일보, "北 김일성 사망 후 '점집' 성행", 1997.4.12.

화해서 자연스럽게 이루어지는 것이다. 과학성이나 논리성을 따지기 전에 생활의 일부로서 생각되고 행해지는 예는 얼마든지 있다. 사람은 과학만으로 살 수는 없는 것이다. 과학의 공식만이 인생의 전부는 아니다. 미신도 정신적인 위안의 효과는 있는 것이다. 때로는 예술이 가지는 기능과 유사한 효과를 나타내는 수도 있다. 미신이라고 다 버릴 수도 없고, 미신이라고 다 긍정할 수도 없다.[26]

일례를 든다면, 고대로부터 생활문화에 큰 의의(意義)를 가지고 있었던 역(易)이란 것도 오늘날에 있어서는 그 괘(卦)와 삼라만상과의 사이에는 필연적인 관계가 있는 것은 아니다. 이런 뜻에서 미신은 과학과는 조화하지 않는 것이다.[27]

따라서 한국에 있어서 미신의 실태를 살펴보면, 문화 속에 하나의 미신으로 현재 행하여지고 있는 것과 정말로 미신인 것과는 구별하지 않으면 안 될 것들이 있음을 직시할 수 있다.

미신과 관련된 내용에서 두드러지게 드러나는 그 성격과 특징은 (1) 자연주의적이고 현세중심적이다. (2) 평화적이고 인간중심적이다. (3) 현실중심적이고 실용주의적이다.

또한 이러한 미신의 성격과 내용의 문화적·사회적 기능을 다음의 몇 가지로 요약하면, (1) 인간 이익의 절대화와 신적 권위의 상대화, (2) 놀이를 통한 화해기능, (3) 삶의 가치와 자기정체 확인기능, (4) 공동체의 조직 및 질서의 재정비 강화, (5) 삶의 윤리·의무·희망의 의식화, (6) 문화전승의 교육적 기능 등으로 볼 수 있다.[28]

이와는 반대로 다음의 6가지, 즉 (1) 책임감의 결여 및 의타주의,

---

26) 중앙일보사, "월간중앙: '미신'", 1974.6, pp.339-340, p.347.

27) 최상수(1988). 앞의 책. 성문각(倫). p.154.

28) 김인회(1993). 『한국무속사상연구』. 집문당. pp.210-215.

(2) 자기반성의 결여, (3) 국가의식 · 역사의식의 결여, (4) 추상적 · 형이상학적 가치의식의 결여, (5) 목적제일주의, (6) 도덕적 자기 합리화 등의 부정적이고 역기능적인 작용을 할 가능성[29] 등의 특징도 있다.

2. 매스미디어와 미신의 상호 연관성

무속인이 대도시를 형성할 만큼의 인구로 불어났다. 십 년전만 해도 1996년 12월 말 현재 전국에 흩어져 활동하고 있는 무속인은 최하 60만여 명에 이른 것으로 잠정 집계되었으며, 한 해 동안 2백40만~3백만여 명이 매월 복채를 들고 무속인을 찾은 것으로 분석됐다.[30]

이러한 무속인들의 증가와 점술 · 예언 · 사주에 관련된 기사의 증가현상으로 매스미디어와의 밀접한 관여현상이 나타나고 있다. 이에 필자는 최근까지 진행되어 온 현상들을 중심으로 매스미디어와 미신과의 관계를 알아보고자 한다.

우선 국내에서의 미신 관련내용을 살펴보면, 다음의 네 분야로 나누어 설명할 수 있다.

첫 번째로, 신문 분야이다. "신문에 게재되는 내용들은 독자들을 미신적 사고에 빠뜨릴 우려가 있고 자신의 미래를 스스로 개척하기보다 자포자기하거나 운명론에 빠져 허무주의에 물들게 한다"고 기독교인들은 지적하고 있다.[31]

두 번째로, 방송 및 영화 분야이다. 방송위원회는 무속인의 모델 TV 광고는 무속적 신비주의를 확산시키며 건전한 사회기강을 해칠 우려가

---

29) 김인회(1993). 앞의 책. 집문당. pp.210-215.
30) 국민일보, "무속 열풍 〈점치는 사회〉", 1997.1.11.
31) 국민일보, "대중매체/선정 · 무속적 내용 판친다", 1995.3.27.

있다고 의결하고 또한 이것은 역술을 상업화하고 정당화시킬 우려가
있다며 방송심의에 관한 규정 제114조 제1항 제5호의 '점술, 심령술, 사
주, 관상 등의 감정 및 미신과 관련된 내용은 방송할 수 없다'에 의거,
방송중단을 결정하였다.[32]

텔레비전 매체의 고발성 프로그램에서는 미신행위의 문제점을 비판
해 국민의 건전한 가치관 형성에 기여하고 있지만 다른 프로에서는
무속인을 출연시키는 등 미신을 조장하는 경우가 있다.[33] 즉 방송매
체가 윤리회복과 미신타파에 앞장서야 함에도 드라마를 통해 이혼과
불륜, 퇴폐, 폭력 등을 조장하고 있는 것은 매우 안타까운 현실이라고
본다. 한편, 한때 공전의 히트를 기록했던 영화들—'뱀파이어와의 인
터뷰', '미녀 드라큐라', '사랑과 영혼'—은 동경현상을 불러일으켰으
며, 귀신이 인간과 친근한 존재라는 암시를 주기도 하였다.

세 번째로, 잡지 및 서적 분야이다. 주부나 미혼여성을 대상으로 한
월간지에선 점성술이나 띠별로 알아본 이달의 운세 등의 글이 실리고
10대 여학생용 잡지도 '점성술로 보는 사랑의 운' 등의 글이 빠지지
않고 게재되는 상황이다.[34] 또한 예언의 기능보다는 과거와 현재를
잘 살펴 미래에 대비하려는 '온고이지신'이 기본정신이었던 역학서들
이 마치 예언서인 것처럼 변질되고 잡기들이 길흉화복을 점친다며 국
민들의 가치관까지 무너뜨리고 있다.[35]

네 번째로, 컴퓨터 및 뉴미디어 분야이다. PC통신과 인터넷의 가상
공간에서도 '사이버 미아리'가 잇따라 등장하고 있기 때문이다. 이른바

---

32) 국민일보, "무속인 모델 TV광고 방영 불가", 1996.6.12.
33) 국민일보, "미신조장 TV프로 강력 항의", 1997.4.12.
34) 국민일보, "대중매체/선정·무속적 내용 판친다", 1995.3.27.
35) 국민일보, "「무속신앙」이대로 좋은가(현상진단과 대책)", 1996.1.20.

PC철학관으로 불리는 이곳은 첨단 통신기술이 응집된 가상공간에서도 자신의 운명을 미리 알고 싶어 하는 사람의 심리가 여전하다는 것을 보여준다. 특히, 10여년이 지난 최근에는 다양한 스타일의 사이버 철학관들이 네티즌에게 큰 인기를 얻고 있다.

운세 정보의 종류만 해도 사주팔자, 토정비결, 점성술, 꿈풀이, 관상학, 성명학 등 매우 다양하고 전문적이다.[36] PC통신에 점, 사주 등 미신 관련 프로그램들이 홍수를 이루어 최첨단 문명기기가 가장 비과학적 용도로 악용되고 있는 것이다.[37] 길거리의 컴퓨터점은 말할 것도 없고 스포츠신문이나 칠공공(700)시리즈에서 알려주는 오늘의 운세, 별자리점, 고스트맘마나 X파일 같은 영화, 드라마, 비디오, 만화영화, 사이버점술 등에서 자주 나타나고 있다.[38]

현재 인터넷을 통한 종교 운동이나 정신세계에 대한 토론은 다른 어느 분야보다 활발하다. 특히 인터넷의 대표적인 디렉토리 서비스인 야후(Yahoo)의 종교분류(Religion)에서 제공되는 종교정보는 이성적이면서 신세대들의 관심을 끌 수 있는 다양한 주제를 다루고 있는 점이 특징이다.[39]

이와 같이 매스미디어에 보도되는 국내의 미신 관련내용에 관한 효과적 측면을 살펴보았는데, 이러한 측면에서 보듯이, 매스미디어에서 점술과 무속이 표면에 드러내놓고 범람하는 사회는 모든 것이 불안한 시대와 상황을 반영하며, 그것이 부정적이든 긍정적이든 간에 그 관계는 아주 밀접한 상태인 것이다.

---

36) 동아일보, "사이버 철학관 「문전성시」", 1996.12.22.
37) 국민일보, "미신 조장하는 PC통신", 1996.11.4.
38) 국민일보, "요즘세상: 귀신문화의 종말", 1997.4.12.
39) 세계일보, "인터넷 24시: 종교정보", 1996.12.25.

3. 매스미디어에 나타난 미신의 기능

21세기를 넘어선 지금도, 컴퓨터와 인터넷이 지배하는 정보화사회로 치닫고 있는 마당에 지금 한국 땅에서는 점복(占卜)이 과거 어느 때보다 성행하는 기이한 현상이 벌어지고 있다. 또한 매체들은 스스럼없이 역술인들의 예언을 일반대중들에게 전파하고 무속을 상품화하는 경향을 내비쳐 비난을 자초하고 있다. 더욱이 공영방송을 표방하는 KBS마저 이 같은 흐름에 편승, 주부들을 주 시청대상으로 한 아침프로에 역술인을 출연시키는 등 상식 이하의 방송행태[40]가 날로 확산되고 있는 실정이다.

이러한 무속열풍은 한마디로 세상의 리더십을 믿지 못하고 일터에서 불안에 쫓기는 군중심리의 병리적 반응 탓이라 할 수 있다.

이에 필자는 이러한 매스미디어에서 취급되는 미신 관련내용의 역할에 대한 부정적 측면과 긍정적 측면에 대해서 사회·문화적 측면을 중심으로 살펴보고, 미신의 기본적인 기능도 알아보고자 한다.

첫째, 점은 개인의 불안, 불만과 같은 갈등을 해소시켜 주는 기능을 가지고 있다.

둘째, 불행이나 질병의 원인을 설명하는 기능을 한다.[41]

대다수의 무속인들은 사제(司祭), 치병(治病), 예언(豫言) 등 그들 본래의 기능을 발휘하여 민중생활의 안정에 많은 도움을 주었다. 뿐만 아니라, 고유민간신앙의 전승이라는 측면에서도 큰 역할을 담당해 왔다.

현대는 합리주의의 시대요, 기술문명이 고도로 발달하여 인간이 달나라에 가는 시대인데도 불구하고 아이가 출생하면 성명철학관을 찾

---

40) 세계일보, "TV도 '철학관' 운영하나", 1996.1.12.
41) 앞의 책(1988). 새문사. p.222.

는다든지 빌딩의 층계에 '4'자를 보기 드문 것은 역시 이러한 미신에 대한 잠재의식이 사람들 속에 있기 때문이다. 그런데 이상한 것은 어떤 시기에 점쟁이가 갑자기 증가한다는 사실이다.[42] 말하자면 사회적으로 문화적으로 변동하는 격동기에는 사람들의 심리가 더욱 불안정하기 때문에 무당이나 점쟁이의 수는 문명, 미개에 관계없이 증가한다는 것이다.

이러한 미신은 외래종교의 전파 이후에도 끊임없이 이어져 내려와 생활의 일부로 차지하고 있다. 그러면서도 현대인의 고정관념 속에 가장 그릇되게 이해되고 있는 것이기도 하다.

결론적으로, 현대인의 생활에서 미신은 분명히 부질없는 것이다. 이제 의학의 발달로 병이 나면 의사를 찾지 무당을 찾아 굿을 하는 일은 적어졌다. 그러나 다 소멸된 것은 아니기에 우리의 주변에서 더러 발견되고 있다.

또한 미신과 요설이 판을 치는 이유는 자본주의의 세계적 지배, 사탄주의의 숭배, 갑작스런 대형참사, 대기업 등 거대한 세력이 사회를 지배하면서 치열한 경쟁과 불안이 개인을 억누르고 있기 때문이라 여겨진다.

제2절 한국과 미국의 미신 유형

1. 한국의 미신

우리나라에 현존하고 있는 여러 종류의 종교현상 중에서도 가장 널리 퍼져 있고 많은 사람들에게 상식처럼 잘 알려져 있는 것 같으면서

---

42) 김동욱·최인학·최길성·최래옥(1988). 『한국민속학』. 새문사. p.221.

도 막상 그 정체가 무엇인가 하는 문제에서는 다른 어떤 종교보다도 분명한 대답을 찾기가 어려운 것이 바로 미신(迷信)이 아닌가 싶다. 어쩌면 누구나 잘 알고 있는 것 같으면서도 사실은 누구도 잘 모르고 있는 것이 바로 미신의 특징인지도 모른다.

현재까지 역사적 문헌 가운데 무속에 대해 언급해 놓은 것을 흔히 볼 수 있지만, 대부분이 너무 간단한 내용이며, 그나마도 '미신'이라는 부정적인 입장에서 본 것이므로 무속을 긍정적으로 이해하려는 사람에게 도움이 될 만한 자료가 별로 없다.[43]

한국의 민간신앙은, 다른 민족의 민간신앙이 그러한 것처럼, 민중들이 살고 있는 생활공간과 생활하는 시간을 성스럽고 부정을 타지 않게 간직함으로써 그 공간이나 시간이, 나아가서 그들 자신과 그들 자신의 생활이 언제나 풍요롭고 힘과 빛에 넘쳐 있기를 기원하고 있다.[44]

그러면 여기에서 몇 가지의 의문점을 도출해 낼 수 있다.

첫 번째, 도대체 우리의 생활습속 중 어디서부터 어디까지가 미신에 속하는 것인가?

두 번째, 어떤 것들이 미신의 핵심적인 내용을 이루고 있는가?

세 번째, 구조·성격·기능 등에 있어서 미신은 다른 종교들과 어떤 차이 내지는 유사성을 갖고 있으며, 미신과 외래 종교들과의 관계는 어떠한가?

이러한 사실로 보건대, 긍정적이든 부정적이든 간에 오랜 세월 동안 우리나라 사람들의 생활 속에 깊이 뿌리를 내려온 미신의 다양한 기능을 어떤 눈으로 관찰하고 평가할 것인가 하는 등의 질문들은 한국의 문화현상 중 특히 종교와 관련되는 문제가 거론될 때에 쉽사리 제

---

43) 최길성(1981).『한국의 무당』. 悅話堂. p.69.
44) 박규홍(1983).『한국민속학개론』. 형설출판사. p.112.

기될 수 있는 기본적인 질문들이라고 할 수 있을 것이다.

이에 필자는 한국에서 언급되는 무속신앙, 즉 '미신'이라고도 취급되어지는 분야에 대해서 간략한 개념적인 정의와 더불어 그 쓰임에 대해서 구체적으로 알아보고자 한다.

(1) 숭배(崇拜)

숭배(崇拜)는 크게 자연숭배(自然崇拜), 일월성신(日月星辰), 고산대천(高山大川), 동물숭배, 식물숭배, 수목숭배, 암석숭배, 신명숭배, 영혼숭배, 정령숭배 등으로 나누어진다.

첫 번째, 자연숭배(naturism) 사상은 고대(高大)하고 원유(遠幽)한 거리와 그 불변성(不變性)으로 인하여 사람들의 신성(信誠)의 대상이 되어 있다. 특히 이것은 한마디로 자연현상이나 자연물에 대한 숭배라 할 수 있으며, 숭배 대상의 배후에 신·영혼·정령·신비적 주력의 관념을 인정할 뿐만 아니라, 그 지역주민에게 의미와 가치를 부여해 준 사물 그것의 소박한 숭배를 말한다. 두 번째, 일월성신 사상은 궂은 것을 기피하고 양달 진 것을 찾는 마음이 지상에서 멀리 떨어져 있는 일월성신에 투사되어 그것들이 신앙의 대상이 된다. 또한 주력(呪力)을 갖고 있다. 세 번째, 고산대천 사상은 산숭배(山崇拜)와 물숭배(一崇拜)로 나누어지며, 옛 기록에 의하면 높은 산은 태령산(胎靈山)으로서 민간에서 숭배의 대상이 되었었다. 물은 강이나 바다·연못·우물과 상통되어서 숭배되었고 오늘날도 역시 숭신(崇信)의 대상이 되고 있다. 네 번째, 동물숭배 사상은 동물들이 인간과 똑같이 성력(性力)의 존재로 취급된다. 다섯 번째, 식물숭배 사상은 쑥·마늘·콩·창포 등과 같은 식물이 주초(呪草)나 서초(瑞草)가 되어 창생체(創生體)가 된다는 것이다. 여섯 번째, 수목숭배 사상은 지팡이나 나무와 같은 것을 생명력을 가진 것으로 여겨 의인화시키는 사상이다. 일곱 번째, 암석숭배 사상은 고대로부터 계승되어 오는 관습이며 바위나 암석 앞에서 소원을 비는 형태로 신앙화되고 있다. 여덟 번째, 신명숭배 사상은 천왕(天王)과 별신(別神: 상제에까지 오를 수 없는 층의 신령), 그리고 신인(神人) 등에 대한 숭배사상이다. 아홉 번째, 영혼숭배 사상에서는 사람은 육체 외에 영혼을 갖고 있다고 전제하며 영혼은 대개 육체로부터 떠나서 행동할 수 있는 것을 신봉된다. 열 번째, 정령숭배(animism) 사상에서는 인간 이외에 거처하는 영(靈)을 정령(精靈)이라고 하며 사람만이 아니라 모든 생물이나 무생물, 즉 존재하는 모든 것에 정령이 거처하는 것으로 사람들은 믿는다. 즉 영적 존재에의 신앙을 가리킨다.[45]

이와 같이 한국의 숭배사상에는 그 종류가 다양하며, 그 밖에 음양(陰陽) · 오행신앙(五行信仰)과 도참(圖讖) · 신도신앙(新都信仰), 그리고 천지개벽신앙(天地開闢信仰) 등이 있다.

(2) 행의(行儀)

행의(行儀)에는 제례(祭禮), 기우제(祈雨祭), 부락제(部落祭), 고사(告祀), 나례(儺禮), 푸닥거리 등과 같은 종교적 제의(祭儀)로 나누어진다.

첫 번째, 제례(祭禮) 사상은 의례를 통해서 신명을 위로하고 그 은혜의 덕을 보자는 데 민간신앙의 제례목적이 있으며, 구체적 신앙의 행동이다. 여기에는 자식을 얻고자 비는 의식의 성공제(誠貢祭)와 기은제(祈恩祭)가 있다. 두 번째, 기우제(祈雨祭)는 비를 내리게 해달라는 의식이다. 세 번째, 부락제(部落祭) 의식은 한 고을이 공동으로 고을 신(洞神)에게 치제(致祭)하는 것이다. 네 번째, 고사(告祀) 의식은

---

45) 박계홍 편저(1983). 『한국민속학개론』. 형설출판사. pp.116-118.; 대세계백과사전(1992). 제12권 〈종교〉. 태극출판사. pp.356-362.

주로 가족의 평안과 재앙의 회피를 빌고 집안의 가호(加護)를 기원하는 일종의 제이고 그 대상은 가내에 거주한다고 믿어지는 것이다. 다섯 번째, 나례(儺禮) 의식은 귀신을 쫓아내는 종교의례 중의 하나이다. 그런데 귀신을 쫓을 때에 주력(呪力)을 사용하지 않고 순수하게 기원으로써 쫓는 방법과 주력을 사용하여 귀신을 쫓는 방법이 있다. 여섯 번째, 푸닥거리 의식은 사람들이 생활하는 동안에 생기는 생활상의 파탄을 메우기 위하여 특수한 힘을 얻어 보려는 민간신앙이다.[46]

(3) 무신(巫信)

무신(巫神) 숭배신앙에는 여섯 가지, 즉 무당(巫堂), 혼전, 굿당, 무격(巫覡), 굿, 등이 있다.

첫 번째, 무당(巫堂)에는 그 명칭과 종류가 여러 가지로 나누어지는데, 무당의 힘이나 무당의 신앙적 기능이 아직 뚜렷이 밝혀져 있지 않은 탓으로 다소 혼동되어 사용된다. 무당은 신봉자들에게 하나의 생활 안내자로서 원인 탐정자이고 사건의 치리자(治理者)이며, 신언(神言)의 대변자로 비친다. 또한 신앙에 매달리는 사람들은 무당을 신앙대상으로서가 아니라 무당을 통해서 주적효력(呪的效力)을 얻어 자신들이 바라는 소원을 달성하려고 한다. 두 번째, 혼전의식은 생사병재(生死病災)와 천지변이(天地變異)에 관여하여 선과(善果)를 일으키는 것과 악과(惡果)를 가져오는 것으로 대별되고 있다. 이 혼전을 학술적으로 '이나마'라 부르고 그 번역인 정령(精靈)으로 일컬어지고 있다. 세 번째, 굿당은 굿이나 고사를 지내는 무속의 성소(聖所)이다. 굿당에는 보통 동신(洞神)나무나 바위가 있다. 네 번째, 무격(巫覡)의 세계에는 원인이 없는 현상이 없다. 즉 뜻을 갖지 않는 존재나 현상은 그들의

---

46) 앞의 책(1992). 태극출판사. pp.362-366.

세계에는 하나도 없고 모든 것에 뜻이 주어진다. 일반적으로 소망이나 기대 혹은 이상을 객관화하는 심리적 특성을 가진 사람이 무격이 되는 경향이 짙다고 한다. 다섯 번째, 굿은 양재(禳災)·기복·새신(賽神)·점복 등의 신사(神事)로 구성된 무격의 의례이다. 굿의 뜻에 관해서는 학자들 간의 의견 차이가 있는데 어떤 학자는 굿을 궂은일이나 궂은 것들을 '풀이'하는 것으로 해석하고 또 어떤 전문가는 굿을 퉁구스어나 돌궐어의 파생어로 보고, 형운기원(亨運祈願)의 행사를 신전에서 거행하는 행위로 본다.[47] 굿이란 원래 똑같이 아픔을 당하는 사람들이 한자리에 모이는 것을 뜻한다.[48] 또한 굿은 무속의 여러 제의에 대한 총칭이며, 인간의 문제를 풀기 위하여 무당을 중개로 신과 인간이 만나는 것으로, 신의 종류, 성격, 신과 인간의 관계, 무당의 역할 등 무속의 모든 것이 다 들어 있다.[49]

특히, 무당(巫堂)은 남녀에 관계없이 다음과 같은 기능을 수행하는 이들을 통틀어서 이르는 말이다. ① 귀신을 직접적으로 다루고, ② 귀신의 선한 의지를 권장하고 귀신이 행하는 악한 영향을 다양한 주술적인 제의나 부적, 주문을 통해서 피하는 힘을 소유하고 있으며, ③ 액막이로써 질병을 고치고, ④ 미래를 예언하며, ⑤ 꿈을 해석한다.[50] 또한 여기에서의 무당은 무속종교의 사제자로서 신앙체계의 중심을 이루는 존재[51]라는 의미이다.

47) 앞의 책(1992). 태극출판사. pp.367-371.
48) 민족굿회 엮음(1993).『민족과 굿』. 학민사. p.9.
49) 한국종교사회연구소 편(1991).『한국 종교문화사전』. 집문당. pp.108-109.
50) 비숍 저·이인화 역(1994).『한국과 그 이웃나라들』. 살림출판사. p.455.
51) 황루시(1988).『한국인의 굿과 무당』. 문음사. p.20.

(4) 성소(聖所)

성소(聖所) 분야에는 제장(祭場), 단(壇), 원구(圜丘), 종묘(宗廟), 영전(影殿), 십승지(十勝地), 명당지(明堂地) 등이 있다.

첫 번째, 제장(祭場)은 현실세계를 조작하는 신명이 소재하는 세계이거나 강림하는 곳이며, 땅과 접촉하는 영역이다. 두 번째, 단(壇)은 별다른 곳이라 하여 선택되어져서 제의(祭儀)의 장소로 쓰이는 곳에 단을 쌓아 제장으로 삼고, 그 단에 신명이 내리는 것으로 믿게 되었다. 세 번째, 원구(圜丘)는 이조 때 생긴 것으로서 여기에 천지신명을 합사(合祀)하고 동지와 원단(元旦)에 신곡제가 올려졌다. 네 번째, 종묘(宗廟)는 제사자(祭祀者)가 승화하여 제를 받는 자가 되는데 그런 사람을 모신 곳이다. 다섯 번째, 영전(影殿)은 임금의 진영(眞影)을 모신 전각을 의미하며, 이에 신앙적 의의를 부여한 것을 말한다. 여섯 번째, 십승지(十勝地)는 신명(神明)이 거처(居處) 또는 강림하는 곳이 인위적으로 만들어져서 단·묘·사·전·궁·각 등으로 불린다. 이러한 곳들은 굶주림이나 싸움 등의 염려가 없고 세상의 여러 재앙 질병이 침범하지 못하는 피난처이고 자손이 창성하는 곳으로 생각되는 지역이다. 일곱 번째, 명당지(明堂地)는 국가의 기업(基業)을 시간적으로 무궁하게 연장하여 주는 땅으로 신앙되었다.[52]

현대사회에서도 간혹 사람들은 이러한 좋은 땅이나 묏자리에 대한 미신적 애착을 갖는 예가 많이 있다. 그러나 오랜 역사를 통하여 사회의 주된 관습처럼 되어버린 이러한 신앙적 행태는 민중생활에 있어서 커다란 부분이 되고 있다.

---

52) 앞의 책(1992). 태극출판사. pp.372-373.

(5) 금기(禁忌)

금기는 흔히 타부(taboo)라고 한다. 종교적인 또는 사회적인 금지의 체계가 곧 금기이다. 즉 민간신앙에 있어서 신성한 것을 위하여 부정한 물건에 접촉을 금하는 기휘(忌諱) 행위이다. 금기는 인물·장소·물건 등이 신성하기 때문이라든가 신비한 힘의 소유주이기 때문에, 또는 아주 위험하거나 부정하기 때문에 그것들에 접촉하거나 관계를 갖는 것을 금지하는 것이다. 또한 금기는 그것을 어겼을 경우에 예상되는 나쁜 결과를 회피하려는 의도를 가지고 있으므로 '소극적인 종교적 제의'라는 성격을 갖게 된다.53) 또한 이것은 어떤 대상에 대한 접촉과 언급, 특정한 말과 행위가 금해지는 것으로서, 인간의 모든 생활주변과 사회구조 속에 번지고 뿌리박혀 하나의 속신·속설로 정립되어 있다. 금기에는 두 가지 유형이 있다. 하나는 행동이나 표시로써 하는 것이요, 다른 하나는 말로써 나타내는 것이다.54)

타부의 이론은 반드시 일정하지는 않으나, 타부는 사회질서에서 중요한 의미를 지니며 사회 통제의 일반적인 방법에 속해 있는 것과 같은 대상이나 행위와 관계가 있는 것55)이라고 보는 점에서는 대체로 견해가 일치하고 있다고 하겠다.

금기는 속성상 다양한 뜻을 내포하고 있기 때문에 종류도 그만큼 다양하다. 그래서 금기는 행위·사람·사물·말 등 모든 것에 관련되어 있다. 그리고 종교적·주술적·교훈적·전설적인 측면에서 인간의 행동과 사고방식을 규제하고 있다. 먼저 종교적인 것은 종교 행사와 관련하여 있거나 그것을 둘러싸고 지켜지는 관습으로서 금기이다. 금

53) 앞의 책(1992). 태극출판사. pp.373-374.
54) 한국종교사회연구소 편(1991). 앞의 책. p.125.
55) 앞의 책(1992). 태극출판사. pp.102-103.

기의 사회적인 측면은 인간관계에서 이루어지는 것으로 집단의 관습으로 고착화된 것들이다. 다음으로 인간 자신을 중심으로 이루어지는 금기가 있다.[56] 이것은 예상되는 재난을 피하고 건강한 생활을 도모하기 위해서 행하는 것들이다.

즉 이러한 것들은 민간 신앙의 여러 예에서나 그 밖의 모든 고등종교에서 보이는 현상이라고 볼 수 있다.

특히, 종교적 금기는 거룩한 것의 나타남(hierophany), 그리고 그와 아울러 결합되는 그 거룩한 것이 지닌 힘의 분출(kratophany)과 연결된 현상으로 이해되어야 하며, 그것의 이해를 위해 성속(聖俗)의 구조를 이해해야 한다.[57]

이러한 관념의 지배하에서 사람들은 특정한 인물, 사물, 현상, 언어, 행위 등이 신성화되면서 길조에 대한 많은 속신이 생기게 되었고 또한 그것들을 두렵다고 생각한 나머지 그 대상을 보거나 말하거나 행동하는 것을 금지하든가 꺼리는 금기가 형성되었던 것이다.[58]

이와 같이 금기는 종교적인 제의 속이 아닌 일상생활 속에도 깊숙이 침투하여 생활을 지배하는 원리 구실을 다하고 있다.

(6) 통과의례(通過儀禮)

우리 인간들의 삶 속에는 일정한 관문이 있다. 사람이 어디론가로 갈 때 반드시 거쳐 가야 하는 어느 길목처럼 그것을 지나지 않고는 삶이 지속될 수 없는 삶의 목이라는 것이 있는 것이다. 즉 삶의 여정에 있는 정거장 같은 것이라고나 할까.

---

56) 김정희(1994). 앞의 책. pp.217-219.
57) 민속학회(1984). "한국민속학". pp.95-96.
58) 조성일(1996). 『조선민족의 민속세계』. 한국문화사. p.460.

묵은 것이 종말지어지고 새것이 시작되는 찰나들은 관습적으로 익혀 온 세계, 안전권의 생활을 벗어나서 전혀 미지의 세계, 불안의 생활에 접어드는 순간이다. 그것은 위기의 순간이다. 생의 위기인 것이다.[59] 즉 이러한 위기의 극복이 다름 아닌 통과의례적인 기능이라고 볼 수 있는 것이다.

인생은 출생으로부터 시작하여 사망에서 끝나는데 그 사이에 성인으로서의 기간이 있다. 그 세 단계, 즉 출생·성인·임종 때마다 여러 가지의 신앙적 의례가 있는데 이것을 통과제의 또는 통과의례라고 부른다.[60] 그런데 특히 이 의례는 첫째, 이전 상태로부터의 분리, 둘째, 중간(liminal)단계라고 할 수 있는 전이단계(limbo stage), 그리고 셋째, 새로운 아이덴티티를 얻게 되는 단계[61]로 이루어져 있다.

유럽의 종교학자 아놀드 반 헤넵(A. van Gennep)이 장소, 상태, 사회적 지위, 연령 등의 변화에 따른 의례를 'Les Rites de Passage'라고 명명한 뒤부터 종교학계에서 사용된 학술용어이다. 통과의례는 이 개념의 번역어이다. 통과의례에는 일반적으로 죽음과 재생의 관념과 구조가 상징적으로 나타나 있는데, 대부분의 종교적인 제의가 이러한 관념과 구조를 지니고 있다. 통과의례는 민족이나 문화의 차이에 따라서 여러 가지 형태와 기능을 지닌다.[62]

이와 같은 통과의례는 일생을 주기로 출생에서부터 죽음에 이르기까지 경과하면서 마디가 되는 곳에서 행하는 의례이므로 생애분기의 례(life-crisis rites)라고도 말한다. 넓은 의미에서 통과의례라는 말속

---

59) 이상일 외(1980). 『한국사상의 원천』. 박영사. p.215.
60) 앞의 책(1992). 태극출판사. p.374.
61) 니니안 스마트 저·강돈구 역(1986). 『현대종교학』. p.186.
62) 한국종교사회연구소 편(1991). 앞의 책. p.649.

에는 일생동안 치르는 의례뿐 아니라, 일정한 장소를 드나들 때 행하는 의례나 정월부터 섣달까지 주기적으로 행하는 세시의례까지도 포괄하는 개념으로도 쓰인다.[63]

따라서 이러한 통과의례는 인간의 일생을 어느 시점에서 구획을 짓는 일종의 문화적 질서라고 할 수 있으며, 우리의 전통적인 의례 풍속에서 행하는 태어나기 전의 의례에서 죽은 후 제례까지 일생동안 거치는 모든 의례를 일컫는 용어가 필요하다고 볼 수 있다.

(7) 풍수지리(風水地理)

풍수란 산수가 신비로운 생기를 내포하여 인간생활의 배후에서 인간의 길흉화복을 좌우한다고 믿고, 거기에 인간과 사령을 일치·조화시킴으로써 인간생활에 복리를 추구하려고 한 하나의 속신이다.[64] 즉 풍수란 지리에 대한 하나의 이론적 모델에서부터 사상적 측면뿐만 아니라 신앙적 측면에 이르기까지 다양한 의미를 함축하고 있는 용어이다.[65] 특히, 이 용어는 '풍수설·풍수지리·풍수도참사상·풍수사상' 등의 다양한 어휘들로 통칭되고 있다.

또한 풍수(風水)란 장풍득수(藏風得水)의 준말로서 바람막이가 되고 물을 얻을 수 있는 곳을 찾는 방법론이라고 말할 수 있다. 사방이 둘러싸여 바람을 받지 않아서 생기가 흩어지지 않는 곳을 장풍이라고 하며, 생기가 용맥을 따라 계속 흐르다가 물을 만나 멈추게 되는 곳을 득수라 하여, 장풍과 득수가 되는 곳이라야 좋은 땅이라 하였다. 그러므로 집터나 묏자리의 방위와 지형지세의 좋고 나쁨이 사람의 길흉화

---

63) 김정희(1994). 앞의 책. p.169.

64) 이상일 외(1980).『한국사상의 원천』. 박영사. p.174.

65) 임재해·한양명 엮음(1996).『한국민속사입문』. (주)지식산업사. p.327.

복에 절대적 영향을 끼친다는 학설이 풍수지리설이다. 다시 말해서, 땅
에서 산과 물의 방향과 형세 조건을 따지는 이론이다. 이러한 이론은
천·인·지의 삼재가 합일되는 사상에서 출발하여 조상에게 효도를 하
고 자손의 번창을 바라는 희생적인 사고를 내포하는 민간신앙인 것이
다.66) 풍수지리학은 살아 숨쉬는 그야말로 생명력 있는 학문으로 우리
인간에게 있어서는 자연과 더불어 살아가는 순행의 원리와 법칙을 일
깨워 주는 학문67)이라는 점에 그 의미를 부여할 수 있을 것이다.

풍수지리의 본질은 생기(生氣)와 감응(感應)에 있다.68) 또한 풍수
의 목적은 인간이 할 수 있는 한도 외의 후생(厚生)의 요구에 의해
생기에 의지하려고 하는 것에 있지 않고 인간적으로는 어찌할 수 없
는 내면적인 인간의 운명을 개척하고자 하는 마음에서 생기에 의지하
고자 하는 데에 있다.69)

한국의 풍수사상은 우리에게 너무도 뿌리 깊게 자리잡고 있다. 풍수
사상은 집터와 묘터가 인간의 길흉화복에 영향을 미친다.70) 이와 달
리 흔히 우리는 점복(占卜), 사주, 관상, 궁합, 풍수라 하면 대부분의
사람들이 허무맹랑한 미신이라고 외면하곤 한다.

그런데 복고주의의 대두인지 모르지만 문화센터마다 이들 전통사상
에 대한 강좌가 빠짐없이 개설되고 TV에서도 자주 방영된다. 관련서
적들도 적지 않게 출간되고 있다.

이렇듯 기나긴 역사와 전통을 가지고 있는 풍수지리는 이제는 모든
국민의 생활 속에서 자리를 잡고 건전하고 복된 사회를 이루기 위하

---

66) 김성헌(1995). 『현대인을 위한 역할 소프트』. 동학사. p.99.
67) 이한종(1996). 『풍수지리학』. 오성출판사. p.31.
68) 최중두(1983). 『풍수지리학원론』. 불교출판사. p.22.
69) 앞의 책(1992). 태극출판사. p.360.
70) 동아일보, "풍수로 본 매장과 화장" 1996.5.14.

여 건축(주택) 공학의 기본이 되어야 하고 자연과학의 토대가 되면서
우리의 고유한 전통지리학으로서 학문적 뿌리를 내려야 할 것이다.

2. 미국의 미신

정초에 한 해의 운수를 알아보기 위해 토정비결이나 신수점을 보는
것이 동양의 오래된 관습이다. 그러나 미신적이고 비과학적으로 보이
는 점을 신봉하는 것은 서양인들이 더한 것처럼 보인다.

미국 현지에서는 과학과 비합리성이 광범위하게 몸을 섞는 현장에
는 사이버 펑크족들이 있다. 인간과 기계가 뒤섞인 SF나 초능력과 주
술을 통해 현실을 뛰어넘는 컬트 계열의 대중문화 작품들이 인기를
끌고 있다. 「UFO 신드롬」은 UFO가 이제 종교적 또는 정신적 추앙
대상임을 보여준다.71) 이는 정통과학의 힘으로 풀리지 않는 미지의
세계를 동경하는 흐름이라고 볼 수 있다.

10여년전 방영되었던 KBS 제2TV 외화시리즈 「X파일」72)은 세기말
증후군의 한 정점을 보여주고 있는데, 이것은 세기말의 문화적 불안이
가장 잘 표명된 것이라고 볼 수 있다.

이에 필자는 미국의 대중적 흐름을 주도하는 미신 관련내용을 분야
별로 매스미디어와 연관지어 10가지 정도로 나누어서 살펴보도록 하
겠다. 아울러 한국의 미신과의 관계도 알아보고자 한다.

---

71) 경향신문, "세기말, 끝인가 시작인가", 1997.4.12.
72) 'X파일'은 미국 FOX TV에서 만들고 ABC를 통해 방영된 프로그램이
   다. 1995년 골든글로브에서 최고 드라마상을 받았고, 1996년 에미상 드
   라마 부분 수상을 하였다.

(1) 점(占; Fortune Telling)

인간은 왜 점(占)을 생각하여 그것을 발전시켰을까? 그리고 어떠한 방법으로 그러한 목적을 달성하려 하였을까?

미지의 세계를 미리 알고자 하는 인간의 욕구는 어느 시대를 막론하고 끊임없이 계속되고 있다. 행운을 바라고 액운을 물리치려는 소망 때문에 이러한 욕구가 더욱 절실해지는 것이다. 이를 충족시켜주기 위한 수단 가운데 하나로 점이라는 방법이 동원되고 있다.[73] 바꾸어 말하면 길흉화복을 미리 알게 해주는 역할을 하고 있는 셈이다.

그런데 모든 점쟁이와 예언자들이 전적으로 별에만 의존하지는 않는다. 즉 크리스탈 볼(crystal balls), 카드(cards), 꿈(dreams), 손바닥(palms), 신체적 특징(bodily features), 필적(handwriting) 등을 이용하여 점을 친다. 특히 많은 외국의 영매인(靈媒人; psychics)들은 국제적인 관심을 가지고 있다.

실례로 1973년 11월 19일자 시카고 트리뷴(Chicago Tribune)誌는 칠레의 산티아고의 욜란데 술탄 할라이(Yolande Sultana Halahi)라는 예언자가 헨리 키신저가 아주 매력적이고 잘 알려진 여성과 결혼할 것이라고 예언했다고 보도하였고, 또한 그는 영국 황실의 스캔들을 예언하였다.[74]

즉 점이란 고대사회에서 보통으로 행해졌으며, 전조(前兆)를 통하여 심령정보를 얻는 의식[75]이며, 또한 이것은 합리적인 근거를 가진 것으로 생각할 수 없는 방법으로 행하는 성격 분석이나 미래 사건에 대

73) 김성헌(1995). 앞의 책. p.311.
74) Curtis D. MacDougall(1983). "Superstition and the Press", Prometheus Books. p.91. p.97.
75) Herbert B. Green house · 김봉주 역(1986). 『심령과학 입문』. 송산출판사. p.219.

한 예언76)을 가리킨다.

한편, 동양사회에서의 무점(巫占)은 영력(靈力)을 지닌 무점쟁이가 점을 의뢰받으면 신의(神意)를 물어 민간인(民間人)에게 전달하는 신앙의례이다. 민간인들의 점치는 목적은 질병에서 건강, 가난에서 부유, 불화에서 화합, 불행에서 행복 등으로 상실에서 획득의 존재지속으로 보고 있다.77)

점치는 일이 꼭 미개한 데서 비롯된다고 할 수만도 없다. 선진 문명국인 미국에서도 워싱턴의 스베타라나 고딜로라는 여인은 워터게이트 사건 등을 예언하여, 세계적으로 알려져 있기도 하다. 점쟁이는 정신적인 상처를 꿰매주고, 일상생활의 문턱에서 표류하는 사람에게 안정과 평화를 주며, 난파당하지 않도록 인생의 길을 제시해준다는 긍정적인 역할을 한다.78)

즉 시대나 문명화에 따라 점을 보고 안 보고 하는 것이 아니라 애정문제, 직장문제, 돈 문제, 공포심, 현재의 고민거리, 죽음에 대한 공포 등 여러 가지 문제점을 해결하기 위한 호기심이 점에 대하여 사람들의 흥미를 돋우고 있는 것이다.

현대인들의 점치는 원리를 보다 분석적으로 접근하여 현대인의 심성을 연구함은 앞으로의 과제로 남는다고 본다.

(2) 점성(占星; Horoscopes)

서양에서는 저명한 정치지도자, 백만장자, 과학자들 중에서도 점성술을 신봉하는 이들이 많은데, 점성술은 이들의 생활에 얼마나 영향을 미

---

76) 동아일보 外(1993). 앞의 책. p.157.
77) 민속학회(1983). "한국민속학: 巫占의 實態". p.204.
78) 민속학회(1983). 앞의 책. p.206.

치고, 또한 얼마나 신빙성이 있는지에 관한 연구가 한창 진행 중이다.

특히, 점성술(占星術)은 일월성신(日月星辰)을 가지고 인간의 길흉화복(吉凶禍福)과 미래를 점치는 일[79]을 의미한다.

과거 경기침체와 이에 따른 사회불안이 가중되고 세기말 현상까지 겹치면서 프랑스 등 서유럽은 물론 러시아에서도 점성술 붐이 크게 일었던 적이 있다. 전화와 인터넷 등 정보통신망의 발달과 함께 등장한 원거리 점(占) 보기는 점집을 찾아가거나 주위의 눈치를 살필 필요가 없어 그야말로 폭발적인 인기를 끌었던 것이다. 프랑스의 사회학자 '다니엘 보이'는 이러한 "점성술 붐은 현재의 사회불안과 직결돼 있으며 사람들은 닥쳐올 실업과 가난 및 불안한 미래를 점에 의지해 관리를 시도하는 것"[80]이라고 진단하고 있다.

모든 점의 형태 중에서 최초로 시도되었던 것은 점성술이었다. 점성술, 즉 아스트롤로지(astrology)라는 말은 그리스어에서 유래하였으며 대강의 뜻은 '별을 설명하는 일'이며 이것이 실제로 행해진 것은 그리스 고대 문명보다 훨씬 오래되었다.[81] 서양 점술의 으뜸은 점성술이다. 약 3천여 년 전 메소포타미아에서 시작된 점성술은 헬레니즘과 중세시대를 거치면서 유럽과 인도·중국 등으로 퍼져 나갔다. 그 기본은 태양과 달·행성의 움직임이 사람의 운명에 영향을 미친다는 것이다. 점성술은 1년을 춘분에서 시작,「숫양자리」,「황소자리」,「쌍둥이자리」등「황도 12궁」으로 나눈다. 하루도 12시간대로 나눠 이 둘의 조합으로 운명을 분석한다. 황도 12궁 각각은 특정 행성과 관계가 있으며 어떤 자리를 타고나느냐에 따라 성격과 애정·금전 운이 결정된다. 중국

---

79) 한국종교사회연구소 편(1991). 앞의 책. p.551.

80) 중앙일보, "경기침체 겹쳐 占星術 대호황", 1996.12.13.

81) Gary Jennings 저·외문기획 역(1991). 앞의 책. p.122.

에 전해진 점성술은 12개의 띠와 태어난 연월일시(年月日時)를 보는
사주에 영향을 미쳤다.[82]

　문명의 발전 수준이 낮았던 고대에는 하늘의 움직임을 신비롭게 여
겼으며, 특히 자리를 옮겨 다니는 행성들의 위치에 따라 국가나 인간
의 운명이 정해지는 것으로 믿었다.[83] 즉 동서양을 막론하고 고대에
는 점을 보는 일이 성행했고, 점성술은 대단한 인기가 있었다.

　합리적 사고와 논리의 나라로 자처하는 프랑스에서 심령술, 점성술
등 비과학적인 주술(呪術)을 믿는 풍조가 갈수록 만연하고 있다. 이에
따라 미신관련 업종도 날로 번창하고 있다. 또한 프랑스에서는 주술과
관련된 대회가 매년 정기적으로 거창하게 열리고 있다.[84] 즉 이것은 세
기말 전환기에 대한 막연한 불안심리가 작용하고 있는 것으로 보인다.

　이러한 풍조는 현재의 사회불안과 직결되어 있으며 사람들은 닥쳐
온 실업과 가난 및 불안한 미래를 점에 의지해 관리를 시도하는 것이
라 진단할 수 있겠다.

　(3) 예언(豫言; Prophecy)

　흔히, 새해가 되면 많은 사람들이 한 해의 신수(身數)를 알기 위해
토정비결을 본다. 또한 많은 경제 전문기관들이 한 해의 경기 상황을
경제예측자료로 발표한다. 토정비결 따위는 미신이고 경기 예측은 과
학적인 것인데도 국민들은 요즈음 미신에 더 집착하는 듯하다.

　또한 가장 원시적인 사회에서 주술의 주요한 임무의 하나는 추장에
게 지금부터 어떤 일이 일어날지를 예언하는 일이었다.[85]

---

82) 중앙일보, "서양점도 가지가지", 1996.11.16.
83) 한겨레신문, "줄리어스력 등장뒤 점성술 유행", 1996.3.11.
84) 한국일보, "佛선 심령 – 점성술등 呪術업종 번창", 1996.5.20.

예언은 100% 정확성을 전제로 한다. 예언은 과학적 근거에 의한 것이 아니기 때문에 대체적으로 맞지 않지만 신기할 정도로 정확히 맞히는 경우가 있어 완전히 무시할 수 없다는 것이 문제가 된다.[86] 예지(豫知)란 미래에 일어날 일을 심령적으로 감지하는 능력을 말한다. 이에 반해서 예감(豫感)이란 불유쾌한 예지, 즉 죽음이나 암살이나 대재해(大災害)의 예고이다.[87]

인간의 미래까지도 현재에서 체험하게 되며 이 현재에서의 미래 체험을 말할 때 예언이라고 한다. 투시라고 함은 인간의 심령상태를 살펴볼 뿐만 아니라 그 사람의 생각과 뜻, 과거, 현재, 미래의 모든 비밀까지도 직접 관찰할 수 있는 초능력을 의미한다.[88]

따라서 '예언(豫言)'이라는 형태는 인간의 능력으로 해결할 수 없는 부분을 어떤 선지자나 영감을 지닌 사람에 의해서 미래의 사건이나 현상을 점쳐보는 것인데, 21세기에서 조차도 이러한 상황들이 자주 거론되고 있는 것이다.

(4) 최후의 심판일(Doomsday)

'최후의 심판일'이라는 낱말은 기독교적인 색채가 짙은 것으로서 인류의 종말을 예고하는 하나의 잣대처럼 지금까지 알려져 왔다.

'종말론(終末論)'은 천문학적 현상이나 종교적인 말세(末世)에 대한 경고가 강조될 때, 일어나기도 하고 외국에서 돌풍적으로 비관적인 세론(世論)이 일어나면, 우리나라로까지 만연되고 있는데, AIDS, 마약,

85) Gary Jennings 저·외문기획 역(1991). 앞의 책. p.121.
86) 중앙일보, "豫言보다는 豫測", 1996.1.16.
87) Herbert B. Green house 저·김봉주 역(1986). 앞의 책. 송산출판사. p.45.
88) 한인환(1978). 『쉽게 체험할 수 있는 심령과학』. 성광문화사. p.41, 44.

불경기 그리고 정치적인 불안 등을 볼 때엔 이 세상의 종말에 대한 관심을 갖게 된다. 그래서 수많은 책자들이 쏟아져 나왔지만 모두가 그리 큰 영향력을 발휘하지 못하고 사라지고 말았다.

환경학자들의 비관적인 예측이 잇달아 발표되고 있는데 그들은 이대로 나가다가는 인구폭발이나 자원이 고되어 지구문명은 머지않아 멸망한다는 것이다. 경제성장과 인구증가가 계속됨에 따라 100년 이내에 문명의 종말이 올 것이라는 속삭임이 세계 여러 곳에서 들리고 있다. '종말에 관하여', '인구폭발', '여벌이 없는 지구', '경제의 파탄', '기근(饑饉) 1975' 등의 충격적인 제명의 책도 이 무렵부터 쏟아져 나왔다.[89]

노스트라다무스[90]는 서로 상존할 수 없는 미래에 관한 두 가지의 예언을 하고 있다. 그 첫 번째는 1999년의 전면적인 핵전쟁이고, 두 번째는 이 천년의 끝에 타오르는 평화의 황금시대가 열릴 것이라는 것이다.[91]

또한 몇몇 과학자들에 의해서 과학적으로 본 지구 멸망의 예언 11 가지[92]를 소개하면, 다음과 같다.

① 지구가 블랙홀에 빨려 들어갈 것이다(10억 년 후쯤).

② 신(新) 빙하기가 내습할 것이다(2,000년~1만 년 후).

③ 온실효과(溫室效果)의 공포가 다가올 것이다(약 70년 후).

④ 혹성과의 충돌로 지구가 멸망한다.

---

89) 레이먼드 버나드 저 · 이영진 역(1996). 『4차원의 세계: 지구공동설과 지저문명』. (주)청화출판사. pp.335 - 336.

90) 유기만 역.(1982) 『大豫言者』. (주)삼중당. p.46.
    노스트라다무스(1503~1566)는 그의 생존 중에 위대한 예언자로서 인정되었을 뿐만 아니라 오늘날도 가장 중요한 예언자의 한 사람으로 흔히 인용된다.

91) John Hogue 저 · 조경철 역(1992). 『노스트라다무스의 1000년 예언』. 대광문화사. p.192.

92) 유기만 역(1982). 앞의 책. pp.11 - 22.

⑤ 우주선(宇宙船)에 의한 인류의 멸망(2,000년 후).

⑥ 중력의 감소로 지구 상의 대기가 없어진다(10억 년 후).

⑦ 태양이 타서 소멸되어 가고 있다(50~70억 년 후).

⑧ 달은 궤도를 벗어나고 지구는 자전이 늦어질 것이다.

⑨ 대우주(大宇宙)의 종말이 올 것이다(약 5,000억 년 후).

⑩ 우주가 소멸하는 열사(熱死)의 때가 올 것이다(1조 년 또는 수 조 년 후).

⑪ 인류는 핵병기로 사멸하고 말 것이다.

이와 같이 어느 시대에도 「세기말(世紀末)」이라는 말은 세상이 어수선하고 사람의 마음에 어떤 종류의 불안과 혼란을 가져온다. 100년이라는 큰 시대 구분의 마디이기도 하고 역사적인 전환의 시기이기도 한 때문일 것이라 볼 수 있을 것이다.

(5) 심령치료(心靈治療; Psychic healing)

한국에서의 심령치료는 종교적인 것과 관련이 많으나 이것은 오래 전부터 내려온 관습이라고 할 수 있다.

무당들의 점, 굿들이 그 본질은 주술적인 요소가 대부분이지만 그 속에 현대 정신치료에서 보는 여러 치료적 요소들이 합리적으로 존재한다는 점을 지적할 필요가 있다. 굿에는 집단 치유적인 의미가 있다. 한 가정의 성원 혹은 마을의 성원들을 대상으로 그들 모두의 심리적인 불안을 해소해 준다. 또한 정신분석은 심인성 질환(心因性疾患)의 심리요법의 체계인데, 종교에 질환치료를 기대하는 사람은 많으며, 실제로 치료된 것으로 보이는 예도 적지 않다.[93]

다음으로 미국에서 진행되어지는 심령치료는 뚜렷한 치료의 메커니즘은 분명치는 않으나 일종의 심리적인 요법의 효과를 올리고 있는 것으로 보인다.

여기에서 벨(Bell)이라는 학자는 정신치료에 대해서 다음의 6가지[94]로 나누어 살펴보았다.

첫째, 믿음(Faith, prayer or spiritual)으로서 기독교적인 색채가 강하다. 둘째, 마음의 치유(Mind cure)는 비정상적인 상태에서 얻어진 질병을 치료자에 의해서 구조된다. 셋째, 기독교 학문(Christian science)은 모든 문제가 마음에서 비롯된다는 것이다. 넷째, 강신술(降神術; Spiritualism)은 죽음의 영혼이 중개자로서 치료의 힘을 발휘한다는 것이다. 다섯째, 최면술(Mesmerism)은 19세기 독일의 철학자에 의해서 처음으로 소개된 것인데, 그는 어떤 사람에게 마력적인 치료의 힘을 언급하고 있다. 여섯째, 암시최면(Suggestive hypnosis)은 최면을 걸 수 있는 사람이 고통을 억제하고 신체적 기능을 교정할 수 있다고 보는 것이다.

즉 심령치료와 정신의학적인 영적인 힘을 소유한 소수의 사람들만이 이러한 능력을 행사하고 있는 것이다.

(6) 유령(幽靈; Ghosts)

유령은 미신이 만든 여러 가지 가운데 가장 많은 곳에서 가장 많은 사람들이 믿고, 피하며, 두려워해 온 것이다.[95]

심령현상에 있어서 유령이란 사자(死者)가 나타나는 현상으로 그것은 살아 있는 사람에 의하여 보이거나 들리거나 만져지거나(때로는 냄새를 맡을 수가 있을 때도 있다) 하는 것이다. 즉 유령은 살아 있는

---

93) 앞의 책(1992). 태극출판사. pp.72-73.

94) Curtis D. MacDougall(1983). 앞의 책. p.336.

95) Gary Jennings 저·외문기획 역(1991). 앞의 책. p.187.

사람의 오감(五感)에 감지되게끔 영(靈)이 나타나는 것이다.[96]

귀신(鬼神)이란 초자연적 성격을 가지고 있으면서 인격화된 형태로 나타나는 다양한 인간 외적 존재를 가리킨다.[97] 또한 귀신이라는 것은 무속신앙에 있어 하나의 범신론적(汎神論的) 존재이다. 일반적으로는 죽은 사람의 넋 또는 눈에 보이지 않으면서 인간에게 화복(禍福)을 내려준다고 하는 정령(精靈)을 가리킨다. 19세기 이후의 실증적 심리학의 발달에 따라 영혼(귀신)이 실체로서 존재한다는 것은 과학적 의미로는 부정되고 있지만, 귀신의 존재는 동서양을 막론하고 원시시대부터 믿어 왔었고 그리스도교나 유신적(有神的) 철학의 근본 진리의 하나로 중요시되고 있다.[98]

그리스도교와 같은 유일신이 지배하는 서구 사회에서는 과거의 이교(異敎)의 신들이나, 그들을 섬기는 것은 모두 악마 취급을 당하고, 무자비하게 탄압받던 역사에 의해 서양의 유령은 그와 같은 그리스도교에 대한 이단자가 주류를 이루게 된 것 같다.

서양의 유령들은 시대의 흐름에 따라 중세의 마법사들이 차츰 연금술사, 영매자 따위에서 악마적인 과학자로 옷을 갈아입고 나타난다. 또 심령 실험과 혼동하기 쉬운 폴터 가이스트라는 현대식 유령도 나타난다. 이 폴터 가이스트란, 독일어로 '소란스러운 유령'이란 뜻으로, 모습을 보이지 않고, 테이블 따위를 달그락달그락 움직이거나, 식기를 뒤집어엎거나, 공중으로 들어올려 떨어뜨리거나 하면서 소란을 피우는 유령을 말한다.[99] 즉 서구의 대부분의 유령은 기독교와 관련을 갖는

---

96) Herbert B. Green house 저 · 김봉주 역(1986). 앞의 책. p.180.
97) 한국종교사회연구소 편(1991). 앞의 책. p.115.
98) 편집부(1991). 『한국의 귀신』. 보성출판사. p.15.
99) 편집부 엮음(1990). 『당신에게도 유령은 나타난다』. 도서출판 이성과 현실.
　　pp.246 - 247. p.249.

심판이라든가 또는 세상의 최면보다는 신과의 대결을 중시하는 경향
등이 주류를 이루고 있다.

(7) 유사종교(類似宗敎; Cults)

유사종교(類似宗敎)란 말은 그 어휘에서 두 가지 개념을 찾아볼 수
있다. 하나는 유사성, 또 하나는 사이비성(似而非性)이다. 유사성은 모
방성과 의사성을 내포하고, 사이비성은 권모술수가 심한 집단이거나
반사회성을 지닌 집단이라는 의미가 내포되어 있다.[100]

미국의 토속적 사이비 종교단체로서 속칭 '신의 자식들(Children of
God)'이라 불려지는 「God's Hippie Children」이라는 것이 있는데, 그중
하나가 다니엘 앨빈 그리인에 의해 주도되고 있는 것이다(1972.4.15).
그들은 예수 운동의 한 분파로서 극단론적인 이론을 내세우고 있다. 특
히 이들은 국제적인 태업이나 파괴행위를 통한 하나의 강령(綱領)이나
주의(主義)처럼 떠받들고 있다.[101]

그러나 이러한 식의 흐름은 상호 간에 배척하는 신앙의 형태로 자
리잡혀 가고 있다.

(8) 마법(魔法; Witchcraft)

현대문명 속에서 마술신앙은 거의 자취를 감추었지만 완전히 근절된
것은 결코 아니다. 그 하나의 이유는 우리들이 일상생활에서 마술의 잔
재와 부딪쳤을 때에 그것이라고 느끼지 못하는 것이 그 증거이다.[102]

마법은 흔히 사술(邪術)이라고도 하며 어떤 인간이 신령이나 약물

---

100) 앞의 책(1992). 태극출판사. p.551.
101) Curtis D. MacDougall(1983). 앞의 책. p.405.
102) Gary Jennings 저·외문기획 역(1991). 앞의 책. p.215.

의 힘에 의하지 않고 자기가 지니는 초자연력으로 타인에게 상처·병·
죽음 등의 불행이나 재해를 줄 수 있다고 믿어지는 일을 말한다. 사술
의 특징은 일상생활의 여러 불행이나 재해를 다른 어떤 인간의 사악
에 돌린다고 하는 점에 있다. 따라서 그것은 실제로 행해지고 그 목적
이 반드시 불행이나 재해를 가져오는 것만은 아니며, 주술과는 다르
다. 사술신앙은 16~17세기의 유럽에서 융성했으며 갖가지의 극심한
박해를 받았다. 현재 인도에서 태평양 각 지역에 걸쳐 갖가지 사술이
행해지고 있다고는 하나 가장 활발하고 넓은 범위에 걸쳐서 볼 수 있
는 지역은 아프리카라고 할 수 있다.

마법에 관련된 신앙의 특색으로는 다음과 같은 것이 있다. (1) 생활
상의 불행, 재해의 설명원리가 되어 있다. (2) 사술자로서 혐의를 받
은 인물은 반사회적, 비사교적 성격의 소유자라는 전제 아래, 한편에
서는 이러한 인물의 출현을 예방하고 다른 한편에서는 이를 배제하고
바람직한 인간관계를 유지한다고 하는 기능을 다한다.103)

(9) 초능력(超能力; Extrasensory perception)

"러시아의 보리스 옐친 대통령을 배후에서 조종하고 있는 사람은
점성술사이며 중국의 최고지도자 등소평은 기공사의 도움으로 연명하
고 있다."

일본 시사주간지 「사피오」는 최근호에서 "세기말을 앞두고 초능력
에 대한 관심이 전 세계적인 붐을 이루고 있다"며 이러한 현상이 최
고 정치지도자들에게까지 영향을 미치고 있다고 지적했다.104)

캠브리지 대학의 철학자 R·H·소레스 교수는 1942년에 다음과 같

103) 앞의 책(1992). 태극출판사. p.101.
104) 경향신문, "옐친, 여자 점성술사에 국정 의존", 1996.12.14.

이 말했다.[105]

"ESP현상이 존재한다는 것은 과학적 연구에서 있었던 것과 마찬가지로 확실하게 증명되었다고 생각하지 않으면 안 된다. 초심리학적 현상이 실제로 존재한다는 것을 회의론자들이 인정할 수 있도록 설명하는 일은 이젠 그만두고 그것을 알아낼 수 있는 모든 노력에 헌신해야 할 것이다."

또한 ESP(초상 감각)를 비난하는 사람은 "우리들은 감각적 지각에 대해서 모든 것을 알 때까지는 초상 감각적 지각에 대해서 논의할 것이 못된다"고 말한다.

ESP란 초감각적 지각, 미국의 듀크대학의 초심리학 연구소 소장 J. B. 라인 박사가 지어낸 말로, ESP에는 텔레파시, 투시(透視) 그리고 (꿈이나 환각이나 예감 등) 심중에 영감적으로 미래에 일어날 일을 지각하는 것 등이 있다. 텔레파시(telepathy; 精神感應)란 눈과 귀 그 외의 감각기관(感覺器官)에 의하지 않고 누군가 다른 사람의 심중에 일어난 일을 심령적으로 자각하는 것이다. 염력(念力; Psychokinesis)이란 물질을 지배하는 마음, 즉 PK라고도 한다. 순수한 심령적 수단에 의해 물체(생명이 있는 것이든 없는 것이든)의 배치를 달리하거나, 공간을 이동시키거나 하는 능력을 말한다. 영매(靈媒)란 영혼과 의사를 통하게 하거나 물질화시키거나, 물체를 움직이게 하는 데 절대적 역할을 하는 사람이다. 영능자(靈能者)란 끊임없이 초감각적인 인상을 받고 있는 사람을 말한다.[106] 그리고 투시(透視)란 마음으로 '보는' 것, 다시 말하면 오감이 미치는 범위 외에서 일어나는 일이나 물체에

---

105) S · 홀로이드 편저 · 안도섭 옮김(1993). 『텔레파디와 염력』. 도서출판 조선문화사. p.69. pp.79-80.
106) Herbert B. Green house 저 · 김봉주 역(1986). 앞의 책. p.27. p.56. p.133.

관한 심령적인 지식을 갖는 것[107]이며, 예지(銳智)란 앞으로 어떤 일이 일어나는가 하는 것을 예언하는 능력을 말한다.[108]

심령과학에서는 인간의 모든 한계점과 장애물을 초월하거나 돌파하여 행동하는 힘을 초능력이라고 정의한다. 진정한 초능력의 세계는 심령과학의 세계이며, 따라서 심령세계의 영역이 되며 초능력의 행사는 영물(靈物)의 행동을 말하는 것이다.[109]

(10) 미확인 비행물체(UFOs)

UFO는 현대의 특유한 현상일까? 하지만 여기에는 논리의 법칙과 오늘날의 과학지식을 벗어난 것처럼 보이기 때문에, 황당무계한 웃음거리라고 거들떠보지도 않는 경향이 있다. 신뢰할 만한 과학잡지보다도 오히려 대중신문의 진부한 흥미본위의 기사를 통해 화제가 되곤 한다. UFO의 출현은 범세계적이거니와 아직 그것을 손으로 만져 봤다거나 더 확실하게는 아예 자동차처럼 전시된 적이 없다. UFO는 미확인 비행물체(Unfind Flying Object)라는 정식 약어(略語)이지만, 보통 비행접시라고도 불린다.[110] 즉 이것은 UFO의 모양이 접시 모양이기 때문임은 말할 것도 없다.

어떤 명백한 원인이 주어지지 않은 채 여러 증상의 복합체로서 개인에게 정신적·신체적 위해를 가하거나 사회적 현상을 야기하는 것에 대해서 흔히 신드롬 또는 증후군이란 표현을 사용한다. UFO신드롬의 첫 번째 증상은 사회적으로 안정된 신분의 정상적인 사람들이

---

107) Herbert B. Green house 저·김봉주 역(1986). 앞의 책. p.27.
108) 김광일(1984). 『한국전통문화의 정신분석』. 시인사. p.312.
109) 한인환(1978). 앞의 책. p.33.
110) 김승호(1996). 『징조』. 맑은소리출판회사. p.294.

매우 이상한 체험을 한다는 것이다. 두 번째 증상으로, 흔히 '외계인 피랍 신드롬(Alien Abduction Syndrome)'이라고 부른다. 세 번째 증상은 외계인으로부터 받은 종교적 메시지를 전달하는 접촉자들에 의한 숭배집단의 형성이다.111)

UFO(미확인 비행물체)에 대한 미국인들의 관심은 유별나다고 할 수 있다. 미국 영화산업의 메카인 할리우드는 비행접시나 외계인이 없으면 쓰러질 지경이며, 1996년에는 '인디펜던스데이'를 필두로 한 달에 한 편 꼴로 '더 어라이벌', '화성습격', '스타트렉-첫 번째의 만남' 등 외계인과 UFO를 소재로 한 영화들이 쏟아져 나왔다.112)

이러한 외계인과 관련된 물체의 등장은 그것이 과학적인 입증자료로 설명될 수 있는 경지에까지 이르고 있으며, 전 세계적으로 이와 관련된 서적과 잡지들이 불티나게 제작, 판매되고 있는 실정이다.

제3절 현대사회와 매스미디어

1. 현대사회의 특징

현재 우리가 살고 있는 사회는 하나의 과도기의 사회113)라고 말할 수 있는데, 19세기나 20세기 초의 사회적 상황과는 그 구조나 형태에 있어서 현저하게 다른 양상을 보이고 있다.

---

111) 맹성렬(1996). 『UFO 신드롬』. (주)넥서스. pp.24-25.
112) 중앙일보, "UFO 熱風부는 미국: 영화·방송 주요 소재…… 종교차원 신앙화", 1997.3.30.
113) 김영모·이효선·최경석·이석조 공저(1983). 『현대사회학』. 한국복지 정책연구소 출판부. p.294.

현대사회라는 개념은 매우 애매모호하다. 봉건사회의 대립개념으로서 근대사회를 말하여 왔고 이러한 근대사회를 현대사회의 개념과 동일시하는 경향이 많았다. 최근 현대사회를 후기산업사회(post-industrial society)라고 말하는 학자가 있으며 이것을 현대사회의 대명사처럼 인식하는 경향이 있다. 그러한 경우 대개 기술관료가 지배하는 사회라고 한다. 그러나 현대사회의 개념은 그러한 것 이외에도 대중사회(mass society), 복지국가(welfare society) 등을 말하는 사람도 있으며 심지어 사회주의국가(또는 프롤레타리아사회) 또는 제3세계를 말하는 경우도 있다. 사실 현대사회라고 하면 일반적으로 서구적 편견에 사로잡혀 있는 경우가 많다.

서구적 관점에서 지적하고 있는 현대사회의 특징114)은 다음과 같다.

(1) 기술주의
(2) 다원주의
(3) 인간소외
(4) 대중화 현상

즉 현대사회의 개념은 어떠한 관점에서 보느냐에 따라 다르기 마련이다.

현대사회는 우리가 생을 향유하고 있는 오늘의 사회를 말한다. 이 오늘의 사회는 어제의 연속이면서 또 내일로 이어지는 하나의 중간지점이라고 볼 수가 있다.115) 사회학자들이 '현대사회'라고 지칭할 때의 사회는 시간의 차원에서만 엄격하게 시대를 구분하여 일정한 기간에

114) 고영복(1983). 『현대사회학』. 도서출판 법문사. pp.346-347.
115) 고영복 편(1991). 『현대사회론』. 사회문화연구소 출판부. p.15.

존재하는 사회를 지칭한다기보다 어떤 일정한 기간에 존재했거나 존재하고 있는 사회들이 '현대적'이라고 규정한 특성들을 지니고 있는 사회를 가리킨다[116]고 할 수 있다.

이와 같이 '현대사회'라는 개념은 그 의미 자체가 시대에 따라 특징에서의 차이를 보이고 있으며, 과거와 미래를 연결해주는 역할을 한다.

2. 매스미디어의 기능

현대사회에서 매스미디어는 커다란 영역을 점유하고 있으며, 그 기능 또한 점점 커지고 있다. 이에 여기에서는 매스미디어의 기본적인 4가지 기능과 그에 따른 순기능과 역기능을 중심으로 살펴보고자 한다.

일반적으로, 매스미디어란 신문, 서적, 잡지, 라디오, 텔레비전, 영화, 케이블텔레비전, 뉴미디어 등과 같이 대중을 상대로 정보나 오락을 제공해 주는 매체[117]를 가리킨다.

미국의 정치학자 라스웰(Lasswell)에 의하면, 매스미디어는 환경의 감시, 사회구성 요소들 간의 상관조정, 그리고 사회유산을 전수하는 기능을 지니고 있다고 정리했으며, 라이트(Wright)는 위의 세 가지 기능에 오락 제공의 기능을 추가하였다. 또 라자스펠드(Larzasfeld)와 머튼(Merton)은 매스미디어가 기존의 규범을 강화하고 특정한 이슈나 인물 혹은 조직에게 합법적인 지위를 부여하는 기능을 한다고 설명했다. 그러나 이러한 정기능은 또 다른 측면에서 보면 역기능이 되는데, 매스미디어는 일반적으로 흥미 위주의 내용이나 프로그램을 제공하여 사람들의 기분전환이나 휴식을 돕기도 한다.

---

116) 안계춘 외(1988). 『현대사회학의 이해』. 법문사. p.441.
117) 김우룡·정인숙(1995). 『현대 매스미디어의 이해』. 나남출판사. p.15.

반면, 매스미디어는 사회안정을 위협하거나 개인의 정상적인 생활에 해를 끼치는 부정적인 결과를 초래하기도 한다. 또한 사회 전체의 통합에 도움을 주며, 개인의 입장에서 보더라도 공통의 사회규범과 문화적 전통에 접촉하게 되어 쉽게 사회에 적응할 수 있게 조장하기도 한다. 오락물에 지나치게 몰입하다 보면 사람들은 사회적·정치적 문제에 대해 무관심해질 수 있다.[118] 다른 측면에서 보면, 사람들의 기분 전환이나 휴식을 돕기도 한다.

이러한 매스 커뮤니케이션의 오락적 기능의 순기능과 역기능을 살펴보면, 아래의 표와 같다.

〈표 1〉 매스 커뮤니케이션의 활동: 오락기능[119]

분야 기능	사회	개인	특정하위집단	문화
순기능		-휴식	-파워의 신장	
역기능	-공중의 주의 산만: 대중의 순응주의 배양	-피동성 증대 -'취향'을 저하 -도피주의 조장		-심미감 약화 : '대중문화'와 문화적 '오염'

다음으로, 각 시각별로 본 미디어의 제 기능 면에서 찾아볼 수 있는데, 그 기능들을 살펴보면 다음의 세 가지, 즉 미디어, 사회적 시각, 수용자 측면에서의 매스미디어의 기능으로 나누어 볼 수 있다.

---

118) 최정호·강현두·오택섭(1996). 『매스미디어와 사회』. 나남출판사. pp.46-55.
119) 한국언론학회 편(1994). 『언론학원론』. 범우사. p.381.

〈표 2〉 미디어 자체의 시각에서 본 미디어의 기능[120]

1. 정보제공기능 (Information provision)	① 수용자들에게 관심이 있고 유관한 정보의 수집 ② 이들 정보의 선정·처리 및 전파 ③ 일반대중의 교육
2. 해설·비판기능 (Interpretation)	① 미디어 자체 의견의 표현 ② 'background' 정보 및 논평의 제공 ③ 집권자에 대한 비판자 또는 파수견으로서의 역할 ④ 여론의 표달 또는 반영 ⑤ 다양한 견해들을 위한 무대 또는 포럼의 마련
3. 문화의 표현유지기능 (Cultural expression and continuity)	① 국가·지역·지방에서의 지배적 문화와 가치의 표현 및 반영 ② 사회적 특정 하부집단들의 문화와 가치의 대변
4. 오락제공기능 (Entertainment)	① 향락·기분전환 등을 통한 수용자의 위로
5. 수용자운동기능 (Mobilization)	① 광고주·고객 등을 위한 광고 또는 선전의 대행 ② 특정목적을 위한 캠페인의 전개 ③ 수용자들에 의한 미디어 이용의 촉진과 확대

〈표 3〉 사회적 시각에서 본 매스미디어의 기능[121]

1. 정보제공기능 (Information)	① 사회와 세계의 사건·사정 등에 대한 정보 제공 ② 권력관계에 대한 정보 제시 ③ 개혁·적응·발전의 촉진
2. 사회결합기능 (Correlation)	① 사건과 정보의 의미에 대한 설명·해석·논평 ② 정립된 권위와 규범에 대한 지지 제공 ③ 새로운 세대와 성원의 사회화(socialization) ④ 분산된 행위들의 조정 ⑤ 합의의 형성(consensus building) ⑥ 사회적 과제들의 우선순위 설정 ⑦ 사회성원들의 상대적 지위의 암시

---

120) 차배근(1992). 『매스커뮤니케이션 효과이론』. 나남출판사. p.34.

121) 차배근(1992). 앞의 책. p.35.

3. 사회유지기능 (Continuity)	① 지배적 문화의 표현, 하부문화의 인정, 새로운 문화의 개발 ② 공동적 가치관의 형성과 유대
4. 오락제공기능 (Entertainment)	① 즐거움, 기분전환 및 긴장해소 수단의 제공 ② 사회적 긴장의 해소
5. 사회동원기능 (Mobilization)	① 정치·전쟁·경제개발·작업, 그리고 때로는 종교 등에 관련된 사회적 목표의 홍보

〈표 4〉 수용자의 시각에서 본 미디어의 기능[122]

1. 정보습득기능 (Information)	① 주위환경·사회·세계에서의 사상과 사건들의 파악 ② 실제문제 또는 의견·의사결정에 관한 지침 습득 ③ 호기심과 일반적 관심의 충족 ④ 학습 및 자기 교육 ⑤ 지식을 통한 안정감의 획득
2. 개인적 정체성 정립 기능 (Personal identity)	① 개인적 가치관의 강화를 위한 자료의 발견 ② 행동 모형(models of behavior)의 발견 ③ 가치 있는 타 인간들과의 동일시 ④ 자기 자신에 대한 통제력의 습득
3. 사회적 통합과 교호작용 기능 (Integration and social interaction)	① 타인의 처지에 대한 통찰력 습득: 사회적 감정이입 ② 타인과의 동일시 및 소속감의 습득 ③ 대화 및 사회적 상호 작용을 위한 자료의 발견 ④ 실제 생활에서의 교제자를 대신한 대안자의 발견 ⑤ 사회적 역할 수행을 위한 도움의 획득 ⑥ 가족·친구·사회와의 접촉 실현
4. 오락적 기능 (Entertainment)	① 문제로부터의 도피 또는 기분전환 ② 긴장해소 ③ 문화적 또는 심미적 향락 ④ 여가 시간의 활용 ⑤ 감정의 완화 ⑥ 성적 흥분의 체험

위 표 〈2〉, 〈3〉, 〈4〉에서 보는 바와 같이 미디어 자체의 시각, 사회적 시각, 수용자의 시각에서 본 매스미디어의 기능은 각각 다양한 부

122) 차배근(1992). 앞의 책. p.36.

수적 효과를 반영한다고 볼 수 있다. 그러나 현대사회에서 매스미디어의 여러 가지의 기능 가운데 오락적 기능의 부정적인 면이 크게 부각되면서, 그 대책이 절실히 요구되고 있다.

따라서 오락적 기능의 긍정적인 측면에 대한 보강작업과 이에 따른 실질적인 활용대책이 연구되어야 할 것이다.

제2장 한국의 매스미디어와 미신 현황

제1절 일간지

2000년을 몇 년 앞두고, **한국의 각 일간지**[123)에서 제공했던 미신에 관련된 정보들 가운데 '오늘의 운세'라는 기사가 있었는데, 이에 해당되는 내용들을 분석해 보면 다음과 같다.

먼저 그 내용을 살펴보면, 그 형태와 내용 면에서 다음의 3가지로 구분되었다.

첫 번째로, 중앙일보, 동아일보, 경향신문, 스포츠서울 등은 독자들의 생년(生年)에 따라 12干支의 띠별로 그 날의 운세를 점치고 있으며, 매일 게재하고 있었다.

두 번째, 조선일보는 별자리, 예컨대 양자리, 전갈자리, 물병자리 등을 보고 독자들의 생년월일(生年月日)에 따라 운세를 알려주는 '점성술'의 형태로 제공되었으며, 일주일에 한 번(토요일) 게재하고 있었다.

세 번째, 일간스포츠와 스포츠조선은 각각의 띠에 따라 여러 분야별로 하루의 운세와 행동지침을 알려주고 있었으며, 매일 게재하고 있었다. 특히 스포츠조선의 '오늘의 육임 운세'란은 남(■) / 여(▲)별로 나누어서 점을 제공되었다.

---

123) 부록 3번 참조.

이와 같이 각 일간지에서 제공된 내용들의 특징은 약간씩 다른 양상임을 알 수 있다.

그 밖에도 각 일간지의 하단 부분에는 여러 가지 점·관상·수상·역술 등과 관련된 광고 및 서적들이 즐비하게 게재되어 왔다. 일간지에서 게재되어온 광고의 일부분을 몇 가지 정리하면, 다음과 같다.

1) 서적류
   - 박용운 지음, 「귀신잡는 남자」, 자유문학사, 1996.
   - 안영배 편저, 「충격 대예언」, 도서출판 둥지, 1996.
   - 조자룡 저, 「신을 선택한 남자」, 도서출판 백송, 1996.
   - 심진송 지음, 「또 하나의 세상」, 도서출판 백송, 1996.

2) 전화음성정보서비스(1996년 8월)
   - '운명철학관': T. 700-8888
   - '옥보살신점예언': T. 700-8123
   - '첨단육효학운세': T. 700-8820
   - '사랑의 궁합': T. 700-8300
   - '백운산 운세박사': T. 700-9112
   - '서운운세': T. 700-8866
   - '텔레폰 운세': T. 700-8858

이 밖에 2007년까지 이러한 종합일간지 이외의 여러 지방지에서도 비슷한 형태의 기사내용을 싣고 있다.

제2절 월간 및 주간잡지

10여년전, 연말연시를 중심으로 월간지와 주간잡지에서는 미신 관련 내용들이 흔히 게재되었는데, 그 내용을 몇 가지로 나누어 분석해 보면 다음과 같다.

월간잡지[124)]에서는 이러한 양상과 더불어 민속학자들의 미신과 무속신앙에 대한 연구논문 등이 추가되어 제시되었으며, 특히 월간잡지에서는 무속인들에 의한 미래예언 및 점을 치는 역술인들의 모습들이 자주 거론되곤 하였다.

한편 **주간잡지**[125)] 분야에서는 역술인들과 점쟁이들에 의한 지구의 미래와 국내정치계, 그리고 선거와 관련하여 폭넓은 예언을 지적하고 있었는데, 특히 매년 연초에 이르러서는 역술가와 점성가들이 제시하는 운세 및 별자리를 통한 역학풀이가 각종 주간잡지를 통하여 게재되었다.

이러한 영향은 21세기에 들어선 지금도 2000년을 앞두고, 주간 및 월간잡지에서 미신과 관련된 내용들이 연말 혹은 연초에 집중적으로 소개되고 있는 추세이다.

제3절 방송매체

2000년 이전에 기존 방송사에서 취급되어진 미신, 역술, 점술 등 민간신앙 및 무속신앙에 대한 방영물을 분석해 보면 다음과 같다.

---

124) 부록 3번 참조.
125) 부록 3번 참조.

먼저 각 공중파 방송국에서 제작했던 미신 관련 프로그램들을 꼽을 수 있는데, 특히 SBS는 현재까지 미신 및 민간신앙과 관련된 프로그램을 가장 많이 취급하고 있었다.

첫 번째로, KBS[126]에서는 민속신앙과 관련된 문화강좌와 무속신앙을 다루는 다큐멘터리 등이 방영되었는데, 최근에 들어서도 관련 프로그램이 중요한 사안을 중심으로 늘어나고 있다.

두 번째, MBC[127]에서는 지방계열사에서의 다큐멘터리 프로그램과 현재 연재프로그램인 「PD수첩」에서의 취재물들이 방영되고 있는데, 특히, MBC는 현재 저승 구경 등 신비체험을 소재로 한 MBC 다큐멘터리 프로그램 「이야기속으로」 시리즈와 「환상여행」 역시 이런 분위기를 잘 반영되었으며, 그 내용들은 우리나라의 무속신앙과 관련된 내용을 화면에 담고 있었다.

끝으로, SBS[128]에서는 전생에서 맺어진 사랑을 찾아 헤매는 두 남녀를 그린 SBS드라마, '8월의 신부'를 방영하였으며, 특히 「그것이 알고 싶다」라는 다큐멘터리 프로그램을 통하여 시리즈로 UFO, 초능력, 사주, 예언, 풍수지리, 최면술, 무속신앙 등을 방영하였다.

이처럼 각 방송사에서는 현재까지 연말연시를 중심으로 미신관련 프로그램들이 연례행사처럼 방영하고 있다.

---

126) 부록 3번 참조.
127) 부록 3번 참조.
128) 부록 3번 참조.

제 3 부

매스미디어와 미신 관련 실증연구

제1장 국내 일간신문의 '오늘의 운세'란에 대한 독자 조사

제1절 조사방법 및 절차

1. 조사대상

본 연구는 임의로 추출한 서울시에 거주하는 일간신문 구독자들을 대상으로 의도적 표본(purposive sample)으로 선정된 350명을 중심으로 실시하였다.

2. 조사시기

본 연구의 조사시기는 설문내용의 시의성을 고려하여, (1) 입시철 (1999년 11월 15일－12월 15일)과 (2) 연말연시(1999년 12월 15일－ 2000년 1월 15일)의 두 기간에 걸쳐서 실시하였다.

3. 조사방법

본 연구에서는 지역 신문보급소의 협조를 받아, 본 연구자와 조사원 대학원생 3명, 학부생 3명과 함께 시간과 경비의 절약을 위해 각각 응답자

들을 직접 방문하여 일대일 대인면접(face-to-face interview) 조사로
이루어졌다.

제2절 조사결과 및 분석

본 연구는 매스미디어와 미신과의 관계를 분석하기 위하여 매스미
디어에 보도되는 미신 관련기사가 일반독자들에게 어떠한 영향을 미
치고 있으며, 우리나라의 미신에 관한 기사의 실태는 어떠하고, 신문
의 '오늘의 운세'란에 대한 일반독자들의 열독성과 신뢰도는 어느 정
도인지를 알아보기 위한 것이다.

이에 본 연구자가 총 배포한 설문지의 수는 350부이며, 회수된 설문
지는 320부이며, 통계조사에 적절한 300개의 설문지를 설정하였다.

접수된 설문지는 5명의 코딩요원(외대 대학원 신방과 학생)들에 의
해서 작업이 이루어졌으며, 분석작업은 DOS용 SPSS/PC+ 통계방법
을 이용하였다.

따라서 본 연구의 설문지에서 조사된 주요 내용은 다음과 같다.

첫째, '미신'에 관한 사항

둘째, '오늘의 운세' 기사에 관한 사항

셋째, '오늘의 운세' 기사와 관련된 사례에 관한 사항

넷째, '미신'과 '오늘의 운세' 기사의 사회적 영향력에 관한 사항

다섯째, 인구 사회학적 특성에 관한 사항

이러한 설문조사를 바탕으로 앞부분에서 제시한 4가지 연구가설에
대한 조사결과 및 분석내용은 다음과 같다.

첫째, 인구 사회학적 특성에 따라 매스미디어에 보도되는 미신 관련

내용에 대한 의존도의 차이를 분석하였다. 둘째, 매스미디어에 보도되는 미신 관련내용에 대한 의존도에 따라 매스미디어에 대한 신뢰도의 차이를 분석하였다. 셋째, 매스미디어에 보도되는 미신 관련내용에 대한 의존도에 따라 매스미디어 이용행태의 차이를 분석하였다. 넷째, 매스미디어에 보도되는 미신 관련내용에 대한 의존도에 따라 사회에 대한 인식의 차이를 분석하였다.

다음은 설문조사에서 분석된 결과에 대한 내용이다.

1. 빈도분석(Frequencies)

1) ‘미신’에 관한 사항

<표 5> 미신에 대한 관심도

( ) 안은 사례 수

항 목	%(名)
관심이 매우 많다	6(18)
관심이 약간 있다	36(108)
그저 그렇다	34.7(104)
관심이 별로 없다	10.3(31)
관심이 전혀 없다	12.3(37)
무응답	0.7(2)
계	100(300)

<표 5>에서 나타난 것처럼 미신에 대한 관심을 분석한 결과 대체로 미신에 대해서 “관심이 약간 있다”(36%), 다음으로 “그저 그렇다”(34.7%)인 것으로 조사되었다. 그 밖에 “관심이 매우 많다”라는 항목에는 겨우 6%의 비율을 보였다.

이러한 결과는 '미신'에 대해서 과반수에 가까운 일반대중들 관심이 높다는 반증이며[42%(126명)], 의외로 약 20%에 가까운 사람들만이 '관심없음'을 내비쳤다.

〈표 6〉 보면 미신에 대한 신뢰도는 "약간 믿는다"(56.7%)라는 항목이 가장 많은 비중을 차지했음을 알 수 있다. 그리고 "전혀 믿지 않는다"(40%)라고 나타나 미신에 대해서 독자들은 양분된 생각을 지니고 있는 것을 알 수 있다.

〈표 6〉 미신에 대한 신뢰도

( ) 안은 사례 수

항 목	%(名)
전적으로 믿는다	3.3(10)
약간 믿는다	56.7(170)
전혀 믿지 않는다	40(120)
계	100(300)

〈표 7〉 미신을 믿지 않는 이유

( ) 안은 사례 수

항 목	%(名)
관심이 없기 때문에	12(36)
미래보다는 현재에 충실하고 싶어서	16.3(49)
불확실하기 때문에	30(90)
별다른 이유가 없다	15(45)
아무런 의미가 없다	4.3(13)
신앙을 가지고 있다	1.7(5)
믿을 근거가 없기 때문에, 한마디로 헛소리이다	0.3(1)
미신은 미신일 뿐이다	0.3(1)
무응답	20(60)
계	100(300)

〈표 7〉에서 보듯이 일반독자들이 미신을 믿지 않는 이유로서 가장 많은 비중을 차지하는 항목은 "불확실하기 때문에"(30%)인 것으로 나타났으며, 다음으로 "미래보다는 현실에 충실하고 싶어서"(16.3%), "별다른 이유가 없다"(15%), "관심이 없기 때문에"(12%)등으로 응답하였다. 이는 현대인들에게 가장 중요한 덕목인 '확실성'인데 반해, '미신'은 정확한 잣대를 동반하지 않은 추상성이 강하기 때문인 것으로 파악된다.

〈표 8〉에서는 독자들이 미신을 긍정적으로 생각하는 이유로서 "인간의 힘으로 해결하지 못하는 것이 많아서"(35.3%)라는 항목을 높이 꼽았다. 다음으로 "별다른 이유가 없다"(22.3%), "미래를 알고 싶어서"(12%)의 순으로 응답하였다. 일반 대중들에게 있어서, 이는 세상사로부터 탈출할 수 있는 다양한 통로중 하나로 '?(궁금증)'을 해결하기 위한 위안책인 것으로 보인다.

〈표 8〉 미신을 긍정적으로 생각하는 이유

( ) 안은 사례 수

항 목	%(名)
원래 관심이 많기 때문에	4(12)
미래를 알고 싶어서	12(36)
인간의 힘으로 해결하지 못하는 것이 많아서	35.3(106)
별다른 이유가 없다	22.3(67)
경험상 그렇다	3.7(11)
관심이 없이 노력하기에 그렇다	0.3(1)
내세가 뚜렷한 사람은 미신을 절대로 긍정적으로 생각하지 않는다	0.3(1)
어른들로부터 전해들은 말씀과 조상을 숭배하고 있기 때문이다	0.3(1)
하나님을 믿지 않는 사람이 미래를 불안해하는 것과 그것을 의지하는 것은 당연하다	0.3(1)
무응답	21.3(64)
계	100(300)

〈표 9〉 점(占)을 보거나 치는 것에 대한 질문

( ) 안은 사례 수

항 목	%(명)
자주 본다	1.3(4)
가끔 본다	13.7(41)
전혀 보지 않는다	57.3(172)
가족 중에 가끔 가는 사람이 있다	26.7(80)
무응답	1(3)
계	100(300)

〈표 9〉에서는 점(占)을 보거나 치는가에 대한 질문에 대해서 "전혀
보지 않는다"(57.3%), 다음으로 "가족 중에 가끔 가는 사람이 있
다"(26.7%), 그리고 "가끔 본다"(13.7%)의 응답을 보였다. 그러나
"자주 본다"라고 응답한 사람은 겨우 1.3%에 불과했다. 이처럼, 조금
이라도 점을 보거나 치는 것에 대한 의견이 41.7%(125명)로 분석된
것으로 보아, 10명중 4명 정도가 이에 긍정적인 것으로 이해하고 있음
을 확인할 수 있다.

〈표 10〉 A그룹: 점(占)을 보거나 치러 가는 이유

( ) 안은 사례 수

항 목	%(名)
미래의 운명과 신수에 대한 궁금증으로	43.7(131)
의약치료가 불가능하니 최후의 수단으로	4.3(13)
답답하니까(고민, 불안)	15(45)
우환, 가정불화 때문에	1.3(4)
자녀문제 때문에	2(6)
마음의 의지로	1.7(5)
혹시나 하는 기분으로 접한다	0.7(2)

항 목	%(名)
한 번도 보러 간 적이 없다	0.3(1)
점을 볼 생각이 없다	0.3(1)
단지 흥미, 호기심일 뿐이다	0.3(1)
하나님을 믿는다	0.7(2)
무응답	29.7(89)
계	100(300)

〈표 10〉: A그룹에서 보는 바와 같이 점(占)을 보는 이유로, 독자들은 "미래의 운명과 신수에 대한 궁금증으로"(43.7%), "답답하니까(고민, 불안)"(15%)의 순으로 응답을 하였다.

그 밖에 "의약치료가 불가능하니 최후의 수단으로"(4.3%)의 답변도 있었다.

〈표 11〉 B그룹: 점(占)을 보거나 치러 가는 이유

( ) 안은 사례 수

항 목	%(名)
미래의 운명과 신수에 대한 궁금증으로	0.7(2)
의약치료가 불가능하니 최후의 수단으로	2.7(8)
답답하니까(고민, 불안)	26.7(80)
우환, 가정불화 때문에	4.7(14)
자녀문제 때문에	4.7(14)
마음의 의지로	16(48)
혹시나 하는 기분으로 접한다	2.7(8)
판단의 기준으로 삼기 위해서이다	0.3(1)
전생은 어떻고 미래는 어떨까?	0.3(1)
그냥 심심풀이 혹은 재미로 한다	1.3(4)
무응답	40(120)
계	100(300)

〈표 11〉: B그룹은 A그룹과 달리 "답답하니까(고민, 불안)"(26.7%), 다음으로 "마음의 의지로"(16%)의 답변을 하였으며, A그룹과는 "답답하니까(고민, 불안)"의 항목이 높은 반응이 보였음을 알 수 있었다.

결국, 내지의 세상에 대한 일반대중들의 호기심 [A그룹: 58.7%(176명), B그룹: 42.7% (128명)]이 그 주된 이유라고 볼 수 있겠다.

〈표 12〉 '미신'의 정보를 접하는 경로

( ) 안은 사례 수

항 목	%(名)
잡 지	38.7(116)
책	8.3(25)
신 문	14(42)
역술가(점술가)	12.3(37)
주위의 사람들(친지 · 친구 · 기타)	11.3(34)
방송매체(TV, 라디오)	3.7(11)
풍수지리	1.3(4)
PC통신	0.3(1)
음성(전화)서비스	0.3(1)
미신에 관심이 없고 접할 기회도 없다	0
무응답	9.7(29)
계	100(300)

〈표 12〉에서처럼 '미신'의 정보를 접하는 경로의 질문에 대해서는 주로 크게 3가지로 두드러졌는데, 특히 "잡지" 분야(38.7%)에서 가장 많이 접하는 것으로 나타났다. 다음으로, "신문", "주위의 사람들(친지, 친구, 기타)", "방송매체(TV, 라디오)"의 순으로 조사되었다. 또한 소수의 사람들이 신문이나 역술가(점술가) 등에서도 정보를 접하

는 것으로 나타났다.

　최근에는 등장한 전화(음성)서비스와 컴퓨터(인터넷)에서의 '점' 혹
은 '운세' 코너를 통하여 젊은 세대들에 의해서 접속되고 있다.

2) '오늘의 운세' 기사에 관한 사항

　〈표 13〉에서 보듯이 신문독자들은 '오늘의 운세'란을 취급하는 구독
하는 신문들 중에서 《조선일보》(18%)이며, 다음으로 《일간스포
츠》(9.7%)와 《스포츠서울》(7%) 등의 순으로 구독하고 있음을 알
수 있다.

〈표 13〉 '오늘의 운세' 기사를 다루는 신문에 대한 구독률

( ) 안은 사례 수

항 목	%(名)
경향신문	7(21)
조선일보	18(54)
일간스포츠	9.7(29)
스포츠서울	7(21)
스포츠조선	2.7(8)
없다	53(159)
무응답	2.7(8)
계	100(300)

　〈표 14〉에서 독자들이 신문에 할애하는 시간은 주로 "10분~30분
미만"(48.7%) "30분 60분미만"(22%) 등인 것으로 나타났다. 대체로
일반대중의 70.7%(212명)가 신문매체에 할애하는 것으로 조사되었다.

〈표 14〉 신문에 대한 열독률

( ) 안은 사례 수

항 목	%(名)
10분 이하	20.3(61)
10분~30분 미만	**48.7(146)**
30분~60분 미만	22(66)
60분 이상	6.7(20)
무응답	2.3(7)
계	100(300)

〈표 15〉 '오늘의 운세' 기사에 대한 열독률

( ) 안은 사례 수

항 목	%(名)
일정하지 않고 무언가 뚜렷한 관심사가 있을 때만 가끔 읽어 본다	43.3(130)
매일 읽어 본다	12(36)
거의 읽어 보지 않는다	43(129)
무응답	1.7(5)
계	100(300)

〈표 15〉의 '오늘의 운세'란을 자주 읽어 보느냐는 질문에 독자들은 주로 두 가지 성향을 보였는데, 첫 번째는 "일정하지 않고 무언가 뚜렷한 관심사가 있을 때만 가끔 읽어 본다"(43.3%)이며, 두 번째는 "거의 읽어 보지 않는다"(43%)의 항목이다. 따라서 사람들은 '오늘의 운세' 기사를 필요에 의해 읽고 있으며, 보지 않는 경우도 상당수 있는 것으로 분석되었다.

〈표 16〉 '오늘의 운세' 기사에 대한 신뢰도

( ) 안은 사례 수

항 목	%(名)
거의 대부분 믿는다	0.7(2)
대체로 믿는다	6.7(20)
그저 그렇다	45.3(136)
대체로 믿지 않는다	21.3(64)
거의 믿지 않는다	25(75)
무응답	1(3)
계	100(300)

〈표 16〉에서 보는 바와 같이, "'오늘의 운세'란의 내용에 대해서 얼마만큼 믿느냐?"는 질문에는 대다수의 사람들이 "그저 그렇다"(45.3%)라고 응답하였고, 다음으로 "거의 믿지 않는다"(25%), "대체로 믿지 않는다"(213%)인 것으로 나타났으며, 이와는 반대로 소수의 사람들만이 "거의 대부분 믿는다"(0.7%), "대체로 믿는다"(6.7%)라는 항목에 응답하였다.

〈표 17〉은 "'오늘의 운세'란을 읽었을 때의 어떤 심리적 효과를 보였는가?"에 대한 독자들의 반응이다. 위의 3가지의 문항에 대해서 각각 다른 반응을 보였다. 첫 번째 '마음의 안정을 얻는다'라는 항목에 독자들은 주로 "별로 그렇지 않다"(27%), "약간 그렇다"(24.7%)라는 답변을 보였으며, 두 번째 '교양과 인격을 높여준다'라는 항목에서는 "전혀 그렇지 않다"(44.7%), "별로 그렇지 않다"(23.3%), 끝으로 '흥미나 호기심을 만족시켜 준다'의 항목에서는 "약간 그렇다"(37.3%), "별로 그렇지 않다"(20.7%)의 순으로 응답하였다.

〈표 17〉 '오늘의 운세' 기사에 대한 심리적 효과

( ) 안은 사례 수

항 목		%(名)
마음의 안정을 얻는다	매우 그렇다	3.3(10)
	약간 그렇다	24.7(74)
	별로 그렇지 않다	27(81)
	전혀 그렇지 않다	22(66)
	잘 모르겠다	7.7(23)
	무응답	15.3(46)
	계	100(300)
교양과 인격을 넓혀준다	매우 그렇다	0(0)
	약간 그렇다	5(15)
	별로 그렇지 않다	23.3(70)
	전혀 그렇지 않다	44.7(134)
	잘 모르겠다	8.3(25)
	무응답	18.7(56)
	계	100(300)
흥미나 호기심을 만족시켜 준다	매우 그렇다	4.7(14)
	약간 그렇다	37.3(112)
	별로 그렇지 않다	20.7(62)
	전혀 그렇지 않다	14.3(43)
	잘 모르겠다	9(27)
	무응답	14(42)
	계	100(300)

따라서 일반독자들은 '오늘의 운세' 기사를 읽었을 때 심리적으로 '흥미나 호기심을 만족시켜 준다'는 측면에서는 약간의 긍정적인 반응을 보인 것으로 조사되었다.

3) '오늘의 운세' 기사와 관련된 사례에 관한 사항

"오늘 당신은 귀인을 만나거나, 횡재를 할 것입니다"라는 긍정적인
운세풀이에 대한 질문에 대해서 독자들은 〈표 18〉에서처럼 2가지 반
응을 보였는데, 즉 첫 번째 "그래도 '혹시나' 한다"(49%), 다음으로
"무심히 지나친다"(42.3%)라는 답변을 보였다.

〈표 18〉 긍정적인 운세풀이에 관한 질문

( ) 안은 사례 수

항 목	%(名)
기대한다	7.3(22)
무심히 지나친다	42.3(127)
그래도 '혹시나' 한다	49(147)
무응답	1.3(4)
계	100(300)

〈표 19〉 부정적인 운세풀이에 관한 질문

( ) 안은 사례 수

항 목	%(名)
삼가한다	12.3(37)
신경이 쓰인다	48.3(145)
무시한다	25.7(77)
모르겠다	10.7(32)
조심한다(나쁠 거 없으니까)	1(3)
오늘의 운세를 전혀 보지 않으니까 마음 쓸 필요가 없다	0.3(1)
오히려 '차', '먼 길'을 이용한다	0.3(1)
읽을 때만 생각하고 금방 잊는다	0.3(1)
무응답	1(3)
계	100(300)

"'차, 먼길' 등을 피하라. 혹은 오늘 '큰 사고'를 당할 것입니다"라는 부정적인 운세풀이에 대한 질문에 일반독자들은 〈표 19〉에서처럼 "신경이 쓰인다"(48.3%), "무시한다"(25.7%), "삼가한다"(12.3%) 항목의 순으로 응답하였다.

〈표 20〉 '오늘의 운세' 기사와 '바둑' 기사, '외국어교실' 기사 등을 비교할 때, "만물의 영장인 인간이 왜 운에 매달릴까?"라는 질문에 관한 사항

( ) 안은 사례 수

항 목	%(名)
인간은 불확실하고 불완전한 존재이기 때문이다	4.3(13)
어차피 합리적 이성만으로 해결 안 되는 일이 있으며, 호기심을 충족시키기 위해서이다	2(6)
관심이 없다 / 잘 모르겠다	6(18)
미래에 대한 호기심과 기대 때문이다	4(12)
미신을 믿는 사람은 어리석은 사람이다	2(6)
'만물의 영장'이란 말은 인간의 약한 모습을 감추기 위해 인간이 만들어 낸 말이라고 생각한다	5.3(16)
그럴 수도 있다고 생각한다	2.3(7)
무응답	48.7(146)
기 타	25.4(76)
계	100(300)

한편 '오늘의 운세' 기사와 '바둑' 기사, '외국어교실' 기사 등을 비교할 때, "만물의 영장인 인간이 왜 운에 매달릴까?"라는 질문에 대해서는 〈표 20〉에서처럼 주로 "무응답(48.7%)", "기타(25.4%)"란이 대부분을 차지했고 이를 제외한 항목에서는 "관심이 없다 / 잘 모르겠다"(6%), "'만물의 영장'이란 말은 인간의 약한 모습을 감추기 위해 인간이 만들어 낸 말이라고 생각한다"(5.3%), "인간은 불확실하고 불

완전한 존재이기 때문이다"(4.3%), "미래에 대한 호기심과 기대 때문
이다"(4%) 등의 순으로 조사되었다.

〈표 21〉에서 보는 바와 같이 '운과 의지' 가운데 어느 것을 더 중시
하느냐에 따라 달라지는 가치관에 대한 질문에서는 "무응답"(60%)을
제외하고 대체로 다양한 답변이 나타났다. 그중에서도 "마음의 의지가
중요하다"(8.3%)의 항목이 두드러졌고, 대부분 '의지'에 대한 중요성에
독자들의 의견이 모아졌다.
한편 소수의 사람들이 "의지가 중요하지만 운도 무시할 수 없
다"(2.6%)라는 항목에 반응을 보였다.

〈표 21〉 운과 의지에 관한 가치관

( ) 안은 사례 수

항 목	%(名)
마음의 의지가 중요하다	8.3(25)
의지에 따라서 운명이 바꿔진다고 본다	1.7(5)
운과 의지, 둘 다 중요하다	1.3(4)
신경을 안 쓴다 / 모르겠다 / 관심이 없다	2.3(7)
의지가 중요하지만 운도 무시할 수도 없다	2(6)
운을 중요시하는 사람은 자신에 대해 자신감이 없고 나약한 것 같다 / 의지를 중요시하는 사람은 좀 더 주체적으로 살아갈 것이다	1.3(4)
의지라고 본다 / 왜냐하면 자기 인생관은 자기 스스로 개척해 나가야지 운만 믿고 나가면 어떻게 될지 모르니 자기의 의지로 모든 인생관을 개척해 나가는 게 바람직하다고 본다	2(6)
무응답	60(180)
기 타	21.1(63)
계	100(300)

4) '미신'과 '오늘의 운세' 기사의 사회적 영향력에 관한 사항

〈표 22〉에서 "'운세', '역술' 관련 전문서적 및 참고자료를 읽어 보았는가?"에 대한 질문에서는 "있다"(0.3%), "없다"(29%), "무응답"(70.7%)의 비율로 나타났다.

〈표 22〉 '운세', '역술' 관련 전문서적 및 참고자료의 구독 여부

( ) 안은 사례 수

항 목	%(名)
있다	0.3(1)
없다	29(87)
무응답	70.7(212)
계	100(300)

〈표 23〉에서 보듯이, "주위의 사람들과 '미신'이나 '운세'에 대한 이야기를 하시거나 들어 본 적이 있으십니까?"라는 질문에 대해 독자들은 "가끔 있다"(65.3%)의 반응을 보였다.

〈표 23〉 '미신'이나 '운세'에 관해서 듣거나 이야기해 본 것에 관한 사항

( ) 안은 사례 수

항 목	%(名)
전혀 없다	27.3(82)
가끔 있다	65.3(196)
자주 있다	7(21)
무 응 답	0.3(1)
계	100(300)

"매스미디어에서 취급하는 '미신' 관련내용이 사회적·문화적으로
어떠한 영향을 미치느냐?"에 대한 질문에 대해 〈표 24〉에서는 3가지
의 반응으로 모아졌는데, 즉 "미신에 대한 올바른 인식이 필요하
다"(38%)의 항목이 많은 비율을 차지하였으며, 다음으로 "잘 모르겠
다"(30%), "대체로 바람직하지 않다"(18%), "부정적인 영향을 미친
다고 본다"(7.3%)의 순으로 나타났다.

〈표 24〉 매스미디어에 나타난 '미신' 관련내용의 사회적·문화적 영향

( ) 안은 사례 수

항 목	%(名)
부정적인 영향을 미친다고 본다	7.3(22)
대체로 바람직하지 않다	18(54)
바람직하다고 본다	2(6)
'미신'에 대한 올바른 인식이 필요하다	38(114)
잘 모르겠다	30(90)
너무 극단적인 내용으로 현혹시키고 사람들의 흥미를 유발한다	0.3(1)
각 개인의 가치기준에 의한 것이라고 생각한다	1.3(4)
지나치게 선정적인 것 같다	0.3(1)
단순히 미신을 흥밋거리, 심심풀이로 보는 경우가 있다고 생각된다	1(3)
개인이나 국가나 미신에 얽매여서는 안 된다	0.3(1)
계	100(300)

5) 인구 사회학적 특성에 관한 사항

〈표 25〉에 따르면, 연령별로는 20대가 30.7%(92명)로 가장 많았고
10대와 40대가 18.7%(56명), 50대가 15.3%(46명), 30대가 14%(42명),

60대 이상이 2.7%(8명)의 순으로 나타났다. 전체 응답자 300명 중 성별의 비율은 〈표 26〉에 의하면, 남자 42.7%(128명)와 여자 57.3%(172명)로 여자 응답자의 수가 약간 더 많았다.

〈표 25〉 연령별 분포

( ) 안은 사례 수

항 목	%(名)
10대	18.7(56)
20대	30.7(92)
30대	14(42)
40대	18.7(56)
50대	15.3(46)
60대 이상	2.7(8)
계	100(300)

〈표 26〉 성별 현황

( ) 안은 사례 수

항 목	%(名)
남자	42.7(128)
여자	57.3(172)
계	100(300)

교육의 정도는 〈표 27〉에 따르면, 초등학교 졸업(중퇴 포함) 9.7% (29명), 중·고등학교 졸업 61.3%(184명), 대학교 졸업(전문대 포함) 22.7%(68명), 대학원 재학이나 졸업 이상 3.7%(11명) 등의 순으로 나타나 중·고등학교를 졸업한 응답자들의 비율이 많은 비중을 차지하였다.

〈표 27〉 학력별 분포

( ) 안은 사례 수

항 목	%(名)
초등학교 졸업(중퇴 포함)	9.7(29)
중·고등학교 졸업	61.3(184)
대학교 졸업(전문대 포함)	22.7(68)
대학원 재학이나 졸업 이상	3.7(11)
무응답	2.7(8)
계	100(300)

〈표 28〉에 따르면, 조사에 응답한 사람들 가운데 미혼자는 46.3% (139 명), 기혼자는 52.7%(158명), 무응답 1%(3명) 등의 순으로 나타났다.

〈표 28〉 결혼의 유무

( ) 안은 사례 수

항 목	%(名)
미혼	46.3(139)
기혼	52.7(158)
무응답	1(3)
계	100(300)

한편, 〈표 29〉에서 보듯이 직업별로는 학생(취업 준비생, 수험생 포함) 34%, 회사원 24.3%, 주부(예비주부 포함) 18%, 자영업 15%, 공무원과 금융업 종사자가 각각 1.7% 등의 순으로 나타났다.

〈표 29〉 직업별 분포

(   ) 안은 사례 수

항 목	%(名)
학생	31(93)
회사원	24.3(73)
자영업	15(45)
주부	17.7(53)
공무원	1.7(5)
종교인	0.7(2)
은행원 및 금융업	1.7(5)
수험생 및 취업준비생	3.3(10)
약사 및 의료인	0.7(2)
예비주부	0.3(1)
무직(無職)	0.3(1)
무응답	1.3(4)
기타	2.1(7)
계	100(300)

다음으로 〈표 30〉에서 보면, 종교별로 35.3%(106명)가 종교가 "없다"라고 응답하였으며, 기독교 26.7%, 불교 21.3%, 천주교 11.7% 등의 순으로 나타났다.

소득별로 나누어 본 응답자의 구성은 100만 원 이하 24.3%(73명), 100~200만 원 26.7%(80명), 200~300만 원 4.3%(13명), 300만 원 이상 4%(12명) 등으로 나타나 200만 원 이하의 수입을 올리는 응답자는 50%를 차지하였다.

〈표 30〉 종교별 현황

( ) 안은 사례 수

항 목	%(名)
기독교	26.7(80)
천주교	11.7(35)
불교	21.3(64)
기타	4.3(13)
없다	35.3(106)
무응답	0.7(2)
계	100(300)

〈표 31〉 소득별 분포

( ) 안은 사례 수

항 목	%(名)
100만 원 이하	24.3(73)
100~200만 원	26.7(80)
200~300만 원	4.3(13)
300만 원 이상	4(12)
기 타	24(72)
무응답	16.7(50)
계	100(300)

2. 교차분석(Cross tables)

1) 매스미디어에 게재되는 미신 관련내용에 대한 의존도

〈표 32〉에서 연령별과 미신에 대한 관심도의 교차분석 결과는 X^2의 값이 38.25로 유의도 .05인 수준에서 연령별과 미신에 대한 관심도에 대한 견해는 통계적으로 유의미한 결과를 보였다. 10대의 경우 56명

중 26명이 미신에 대해서 '관심이 약간 있다'라고 한 반면 50대의 경
우에는 46명 중 20명이 미신에 대해서 '그저 그렇다'라고 답변하였다.
대체로 10대~50대의 경우 108명이 '관심이 약간 있다'라고 응답하였
고, 104명이 '그저 그렇다'라는 의견을 보였다.

〈표 32〉 연령에 따른 미신에 대한 관심도

( ) 안은 백분율

항 목	10대	20대	30대	40대	50대	60대 이상	계
관심이 매우 많다	2	9	4	2	1	0	18(6)
관심이 약간 있다	26	36	21	14	10	1	108(36)
그저 그렇다	15	30	11	25	20	3	104(34.7)
관심이 별로 없다	8	6	5	7	4	1	31(10.3)
관심이 전혀 없다	5	11	1	7	10	3	37(12.3)
무응답	0	0	0	1	1	0	2(0.7)
계	56 (18.7)	92 (30.7)	42 (14)	56 (18.7)	46 (15.3)	8 (2.7)	300 (100)

$X^2 = 38.25$ DF = 25 $p < 0.05$

〈표 33〉에서 보면 연령별과 미신에 대한 신뢰도에 대한 교차분석
결과는 X^2의 값이 29.78로 유의도 .05인 수준에서 연령별과 미신에 대
한, 신뢰도에 대한 견해는 통계적으로 유의미한 결과를 보였다. 10대
의 경우 56명 중 35명, 20대의 경우 92명 중 60명, 30대의 경우 42명
중 30명이 '약간 믿는다'라고 답변한 반면 50대의 경우 46명 중 28명
이 '전혀 믿지 않는다'는 반응을 보였다.

〈표 33〉 연령에 따른 미신에 대한 신뢰도

( ) 안은 백분율

항 목	10대	20대	30대	40대	50대	60대 이상	계
전적으로 믿는다	1	2	4	2	1	0	10(3.3)
약간 믿는다	35	60	30	26	17	2	170(56.7)
전혀 믿지 않는다	20	30	8	28	28	6	120(40)
계	56 (18.7)	92 (30.7)	42 (14)	56 (18.7)	46 (15.3)	8 (2.7)	300 (100)

$X^2 = 29.78$ $DF = 10$ $p < 0.05$

〈표 34〉에서 보면 성별에 따른 미신에 대한 관심을 분석한 결과, '관심이 약간 있다', '그저 그렇다', '관심이 전혀 없다' 등의 의견이 대부분을 차지하였다. 따라서 남녀 모두 미신에 대한 관심은 거의 비슷하였음을 알 수 있었다.

〈표 34〉 성별에 따른 미신에 대한 관심도

( ) 안은 백분율

항 목	남 자	여 자	계
관심이 매우 많다	9	9	18(6)
관심이 약간 있다	45	63	108(36)
그저 그렇다	46	58	104(34.7)
관심이 별로 없다	10	21	31(10.3)
관심이 전혀 없다	17	20	37(12.3)
무응답	1	1	2(0.7)
계	128(42.7)	172(57.3)	300(100)

아래의 〈표 35〉에서도 마찬가지로 각각의 학력별에서 '관심이 약간 있다', '그저 그렇다'의 비율이 가장 많은 비율을 차지하였다.

〈표 35〉 학력에 따른 미신에 대한 관심도

( ) 안은 백분율

항 목	초등학교 졸업 (중퇴포함)	중·고등 학교 졸업	대학교 졸업 (전문대학 포함)	대학원 재학이나 졸업 이상	무응답	계
관심이 매우 많다	2	10	5	1	0	18(6)
관심이 약간 있다	8	72	22	3	3	108(36)
그저 그렇다	9	67	21	4	3	104(34.7)
관심이 별로 없다	3	14	11	2	1	31(10.3)
관심이 전혀 없다	5	21	9	1	1	37(12.3)
무응답	2	0	0	0	0	2(0.7)
계	29(9.7)	184(61.3)	68(22.7)	11(3.7)	8(2.7)	300(100)

〈표 36〉 결혼의 유무에 따른 미신에 대한 관심도

( ) 안은 백분율

항 목	미 혼	기 혼	무응답	계
관심이 매우 많다	13	5	0	18(6)
관심이 약간 있다	56	49	3	108(36)
그저 그렇다	41	63	0	104(34.7)
관심이 별로 없다	14	17	0	31(10.3)
관심이 전혀 없다	15	22	0	37(12.3)
무응답	0	2	0	2(0.7)
계	139(46.3)	158(52.7)	3(1)	300(100)

〈표 36〉에서 보듯이 결혼의 유무에 따른 미신에 대한 관심도는 기혼인 경우에는 '관심이 전혀 없다'라고 답변한 사람이 158명 중 22명

이었고, 미혼인 경우에는 '관심이 매우 많다'라고 응답한 사람은 139명 중 13명이었다.

<표 37> 소득에 따른 미신에 대한 관심도

(   ) 안은 백분율

항 목	100만 원 이하	100~200 만 원	200~300 만 원	300만 원 이상	기 타	무응답	계
관심이 매우 많다	0	0	0	0	0	2	2(0.7)
관심이 약간 있다	6	5	2	0	4	1	18(6)
그저 그렇다	30	28	5	4	29	12	108(36)
관심이 별로 없다	23	30	4	2	24	21	104(34.7)
관심이 전혀 없다	5	6	2	2	6	10	31(10.3)
무응답	9	11	0	4	9	4	37(12.3)
계	73(24.3)	80(26.7)	13(4.3)	12(4.0)	72(24)	50(16.7)	300(100)

<표 37>은 소득에 따른 미신에 대한 관심도를 비교한 것이다. 그러나 다른 인구학적 특성과는 달리 소득별로 '그저 그렇다', '관심이 별로 없다'의 비중이 대부분을 차지하였다.

<표 38>에서 보면 성별에 따른 미신에 대한 신뢰도는 남녀 모두 300명 중 170명이 '약간 믿는다'라고 답변하였고, 남자의 경우 '전적으로 믿는다' 7명, 여자의 경우 3명으로서 남자가 약간 더 신뢰하는 것으로 조사되었다.

〈표 38〉 성별에 따른 미신에 대한 신뢰도

( ) 안은 백분율

항 목	남 자	여 자	계
전적으로 믿는다	7	3	10(3.3)
약간 믿는다	73	97	170(56.7)
전혀 믿지 않는다	48	72	120(40)
계	128(42.7)	172(57.3)	300(100)

〈표 39〉에서도 학력에 따른 미신에 대한 신뢰도는 '약간 믿는다'라는 항목이 가장 많은 비중을 차지하였으며, 다음으로 '전혀 믿지 않는다'라는 항목이 40%의 비율을 보였다.

〈표 39〉 학력에 따른 미신에 대한 신뢰도

( ) 안은 백분율

항 목	초등학교 졸업 (중퇴포함)	중·고등 학교 졸업	대학교 졸업 (전문대 포함)	대학원 재학이나 졸업 이상	무응답	계
전적으로 믿는다	0	8	1	0	1	10(3.3)
약간 믿는다	16	103	38	7	6	170(56.7)
전혀 믿지 않는다	13	73	29	4	1	120(40)
계	29(9.7)	184(61.3)	68(22.7)	11(3.7)	8(2.7)	300(100)

아래의 〈표 40〉에서 보면 다른 인구학적 특성과 마찬가지로 미신에 대해서 '약간 믿는다'라는 반응을 보이고 있음을 알 수 있다.

〈표 40〉 결혼의 유무에 따른 미신에 대한 신뢰도

( ) 안은 백분율

항 목	미 혼	기 혼	무응답	계
전적으로 믿는다	4	6	0	10(3.3)
약간 믿는다	89	78	3	170(56.7)
전혀 믿지 않는다	46	74	0	120(40)
계	139(46.3)	158(52.7)	3(1)	300(100)

2) 매스미디어 이용행태

〈표 41〉 연령에 따른 '오늘의 운세' 기사에 대한 열독률

( ) 안은 백분율

항 목	10대	20대	30대	40대	50대	60대 이상	계
일정하지 않고 무언가 뚜렷한 관심사가 있을 때만 가끔 읽어 본다	23	44	25	25	11	2	130 (43.3)
매일 읽어 본다	4	21	2	4	5	0	36 (12)
거의 읽어 보지 않는다	28	26	14	26	29	6	129 (43)
무 응 답	1	1	1	1	1	0	5 (1.7)
계	56 (18.7)	92 (30.7)	42 (14)	56 (18.7)	46 (15.3)	8 (2.7)	300 (100)

$X^2 = 34.79$ DF = 15 $p < 0.05$

〈표 41〉에서 보듯이 연령별과 '오늘의 운세' 기사의 열독률과의 교차분석 결과는 X^2의 값이 34.79로 유의도 .05인 수준에서 연령별과

'오늘의 운세' 기사의 열독률에 대한 견해는 통계적으로 유의미한 결과를 보였다. 20대의 경우 92명 중 44명, 30대의 경우 42명 중 25명이 '오늘의 운세' 기사에 대해서 '일정하지 않고 무언가 뚜렷한 관심사가 있을 때만 가끔 읽어 본다'라고 답변하였고, 50대의 경우 46명 중 29명이 '거의 읽어 보지 않는다'라고 응답하였다.

〈표 42〉 학력에 따른 '오늘의 운세' 기사에 대한 열독률

( ) 안은 백분율

항 목	초등학교 졸업 (중퇴포함)	중·고등 학교 졸업	대학교 졸업 (전문대 포함)	대학원 재학이나 졸업 이상	무응답	계
일정하지 않고 무언가 뚜렷한 관심사가 있을 때만 가끔 읽어 본다	11	82	28	4	5	130 (43.3)
매일 읽어 본다	1	21	13	1	0	36(12)
거의 읽어 보지 않는다	15	78	27	6	3	129(43)
무 응 답	2	3	0	0	0	5(1.7)
계	29(9.7)	184(61.3)	68(22.7)	11(3.7)	8(2.7)	300(100)

〈표 42〉와 〈표 43〉에서 볼 수 있듯이 학력별과 성별에 따라서 '오늘의 운세' 기사에 대한 열독률은 '일정하지 않고 무언가 뚜렷한 관심사가 있을 때만 가끔 읽어 본다'라는 항목과 '거의 읽어 보지 않는다'라는 항목이 가장 많은 비중을 차지하였음을 알 수 있었다.

〈표 43〉 성별에 따른 '오늘의 운세' 기사에 대한 열독률

( ) 안은 백분율

항 목	남 자	여 자	계
일정하지 않고 무언가 뚜렷한 관심사가 있을 때만 가끔 읽어 본다	57	73	130(43.3)
매일 읽어 본다	11	25	36(12)
거의 읽어 보지 않는다	59	70	129(43)
무 응 답	1	4	5(1.7)
계	128(42.7)	172(57.3)	300(100)

〈표 44〉 연령에 따른 운세·역술 관련 전문서적 및 참고자료의
구독 여부

( ) 안은 백분율

항 목	10대	20대	30대	40대	50대	60대 이상	계
있다	13	37	11	14	11	1	87(29)
없다	43	55	31	42	34	7	212(70.7)
무응답	0	0	0	0	1	0	1(0.3)
계	56 (18.7)	92 (30.7)	42 (14)	56 (18.7)	46 (15.3)	8 (2.7)	300 (100)

〈표 45〉 성별에 따른 운세·역술 관련 전문서적 및 참고자료의
구독 여부

( ) 안은 백분율

항 목	남 자	여 자	계
있 다	39	48	87(29)
없 다	88	124	212(70.7)
무응답	1	0	1(0.3)
계	42.7(128)	172(57.3)	300(100)

〈표 44〉과 〈표 45〉에서 보듯이 연령별과 성별에 따라 운세·역술 관련 전문서적 및 참고자료의 구독에 대해서는 대체적으로 '없다'라는 항목이 많은 부분을 차지하였고, 20대의 경우에는 92명 중 37명이 '있다'라고 답변하였다.

〈표 46〉 학력에 따른 운세·역술 관련 전문서적 및 참고자료의
구독 여부

( ) 안은 백분율

항 목	초등학교 졸업 (중퇴포함)	중·고등 학교 졸업	대학교 졸업 (전문대 포함)	대학원 재학이나 졸업 이상	무응답	계
있 다	4	50	28	3	2	87(29)
없 다	25	133	40	8	6	212(70.7)
무응답	0	1	0	0	0	1(0.3)
계	29(9.7)	184(61.3)	68(22.7)	11(3.7)	8(2.7)	300(100)

〈표 46〉는 학력에 따른 운세·역술 관련 전문서적 및 참고자료의 구독 여부를 알아본 것인데, 앞서 언급한 연령별과 성별에서처럼 학력의 격차 없이 '없다'라는 항목에 답변을 많이 하였음을 알 수 있다.

3. 매스미디어에 대한 신뢰도

〈표 47〉, 〈표 48〉, 〈표 49〉에서 보면 연령별, 성별, 학력별에 따라서 '오늘의 운세' 기사에 대한 신뢰도는 '거의 대부분 믿는다'라는 항목은 거의 없었고, 대부분이 '그저 그렇다', '대체로 믿지 않는다', '거의 믿지 않는다'라는 의견을 보였다.

〈표 47〉 연령에 따른 '오늘의 운세' 기사에 대한 신뢰도

( ) 안은 백분율

항 목	10대	20대	30대	40대	50대	60대 이상	계
거의 대부분 믿는다	1	0	1	0	0	0	2(0.7)
대체로 믿는다	2	9	4	1	3	1	20(6.7)
그저 그렇다	24	42	24	28	15	3	136(45.3)
대체로 믿지 않는다	15	21	7	13	8	0	64(21.3)
거의 믿지 않는다	13	20	6	14	19	3	75(25)
무응답	1	0	0	0	1	1	3(1)
계	56 (18.7)	92 (30.7)	42 (14)	56 (18.7)	46 (15.3)	8 (2.7)	300(100)

〈표 48〉 성별에 따른 '오늘의 운세' 기사에 대한 신뢰도

( ) 안은 백분율

항 목	남 자	여 자	계
거의 대부분 믿는다	0	2	2(0.7)
대체로 믿는다	7	13	20(6.7)
그저 그렇다	56	80	136(45.3)
대체로 믿지 않는다	27	37	64(21.3)
거의 믿지 않는다	37	38	75(25)
무응답	1	2	3(1)
계	128(42.7)	172(57.3)	300(100)

〈표 49〉 학력에 따른 '오늘의 운세' 기사에 대한 신뢰도

( ) 안은 백분율

항 목	초등학교 졸업 (중퇴포함)	중·고등 학교 졸업	대학교졸업 (전문대 포함)	대학원 재학이나 졸업 이상	무응답	계
거의 대부분 믿는다	1	1	0	0	0	2(0.7)
대체로 믿는다	1	16	3	0	0	20(6.7)
그저 그렇다	13	90	25	4	4	136(45.3)
대체로 믿지 않는다	3	34	20	5	2	64(21.3)
거의 믿지 않는다	10	42	19	2	2	75(25)
무응답	1	1	1	0	0	3(1)
계	29(9.7)	184(61.3)	68(22.7)	11(3.7)	8(2.7)	300(100)

〈표 50〉과 〈표 51〉은 '오늘의 운세' 기사에 대한 신뢰도와 미신에 대한 신뢰도와 관심도와의 관계를 분석한 것인데, 미신에 대한 신뢰도의 경우에는 '대체로 믿는다'라는 항목을 답변한 사람은 또한 '약간 믿는다'라는 항목에 많은 의견을 보였다(20명 중 17명). 그리고 '대체로 믿는다'라고 응답한 사람은 '관심이 약간 있다'의 항목에 가장 많은 답변을 하였다(20명 중 10명).

〈표 50〉 미신에 대한 관심도와 '오늘의 운세' 기사에 대한
신뢰도의 관계

( ) 안은 백분율

항 목	거의 대부분 믿는다	대체로 믿는다	그저 그렇다	대체로 믿지 않는다	거의 믿지 않는다	무응답	계
관심이 매우 많다	1	6	5	3	3	0	18(6)
관심이 약간 있다	1	10	61	20	15	1	108(36)
그저 그렇다	0	3	53	29	19	0	104(34.7)
관심이 별로 없다	0	0	13	7	10	1	31(10.3)
관심이 전혀 없다	0	1	4	5	26	1	37(12.3)
무응답	0	0	0	0	2	0	2(0.7)
계	2(0.7)	20(6.7)	136(45.3)	64(21.3)	75(25)	3(1)	300(100)

〈표 51〉 미신에 대한 신뢰도와 '오늘의 운세' 기사에 대한 신뢰도의 관계

( ) 안은 백분율

항 목	거의 대부분 믿는다	대체로 믿는다	그저 그렇다	대체로 믿지 않는다	거의 믿지 않는다	무응답	계
전적으로 믿는다	0	2	5	1	2	0	10(3.3)
약간 믿는다	1	17	99	37	16	0	170(56.7)
전혀 믿지 않는다	1	1	32	26	57	3	120(40)
계	2(0.7)	20(6.7)	136(45.3)	64(21.3)	75(25)	3(1)	300(100)

〈표 52〉'오늘의 운세' 기사에 대한 열독률과
'오늘의 운세' 기사에 대한 신뢰도의 관계

( ) 안은 백분율

항 목	거의 대부분 믿는다	대체로 믿는다	그저 그렇다	대체로 믿지 않는다	거의 믿지 않는다	무응답	계
일정하지 않고 무언가 뚜렷한 관심사가 있을 때만 가끔 읽어 본다	0	0	1	0	2	2	5(1.7)
매일 읽어 본다	1	12	72	35	10	0	130(43.3)
거의 읽어 보지 않는다	1	6	22	4	3	0	36(12)
무응답	0	2	41	25	60	1	129(43)
계	2(0.7)	20(6.7)	136(45.3)	64(21.3)	75(25)	3(1)	300(100)

4. 사회에 대한 인식

〈표 53〉은 미신에 대한 관심도와 매스미디어에 나타난 '미신' 관련 내용의 사회적 및 문화적 영향력과의 비교인데, '관심이 매우 많다'라고 응답한 사람은 '미신에 대한 올바른 인식이 필요하다'고 18명 중 9명이 응답하였고, '관심이 전혀 없다'라고 답변한 사람은 '대체로 바람직하지 못하다'라는 의견을 보였다.

〈표 53〉 미신에 대한 관심도에 따른 매스미디어에 나타난
'미신' 관련내용의 사회적·문화적 영향력 비교

( ) 안은 백분율

항 목	관심이 매우 많다	관심이 약간 있다	그저 그렇다	관심이 별로 없다	관심이 전혀 없다	무응답	계
부정적인 영향을 미친다고 본다	3	2	5	2	10	0	22(7.3)
대체로 바람직하지 못하다	2	15	20	6	11	0	54(18)
바람직하다고 본다	1	2	3	0	0	0	6(2)
'미신'에 대한 올바른 인식이 필요하다	9	48	37	15	5	0	114(38)
잘 모르겠다	3	34	34	7	10	2	90(30)
극단적인 내용으로 현혹시키고 흥미를 유발한다	0	1	0	0	0	0	1(0.3)
각 개인의 가치기준에 의한 것이라고 생각한다	0	2	1	1	0	0	4(1.3)
지나치게 선정적인 것 같다	0	1	0	0	0	0	1(0.3)
단순히 미신을 흥밋거리, 심심풀이로 보는 경우가 있다고 생각한다	0	1	2	0	0	0	3(1)
개인이나 국가가 미신에 얽매여서는 안 된다	0	0	0	0	1	0	1(0.3)
무응답	0	2	2	0	0	0	4(1.3)
계	18 (6)	108 (36)	104 (34.7)	31 (10.3)	37 (12.3)	2 (0.7)	300 (100)

〈표 54〉 성별에 따른 매스미디어에 나타난
'미신' 관련내용의 사회적 · 문화적 영향력 비교

( ) 안은 백분율

항 목	남 자	여 자	계
부정적인 영향을 미친다고 본다	14	8	22(7.3)
대체로 바람직하지 못하다	21	33	54(18)
바람직하다고 본다	6	0	6(2)
'미신'에 대한 올바른 인식이 필요하다	43	71	114(38)
잘 모르겠다	39	51	90(30)
극단적인 내용으로 현혹시키고 흥미를 유발한다	0	1	1(0.3)
각 개인의 가치기준에 의한 것이라 생각한다	3	1	4(1.3)
지나치게 선정적인 것 같다.	1	0	1(0.3)
단순히 미신을 흥밋거리, 심심풀이로 보는 경우가 있다고 생각한다.	0	3	3(1)
개인이나 국가가 미신에 얽매여서는 안 된다.	0	1	1(0.3)
무응답	1	3	4(1.3)
계	128(42.7)	172(57.3)	300(100)

$X^2 = 20.77$ DF=10 $p < 0.05$

〈표 54〉에서 성별에 따른 매스미디어에 나타난 '미신' 관련내용의 사회적 · 문화적 영향력에 대한 교차분석 결과는 X^2의 값이 20.77로 유의도 .05인 수준에서 성별과 매스미디어에 나타난 '미신' 관련내용의 사회적 · 문화적 영향력에 대한 의견은 통계적으로 유의미한 결과를 보였다. 남자와 여자의 경우 양쪽 모두 '미신에 대한 올바른 인식이 필요하다'고 답변하였다. 다음으로 '잘 모르겠다', '대체로 바람직하지 못하다'라는 의견이 많은 양을 차지하였다.

제2장 Q방법론에 따른 연구설계 및 해석

본 장에서는 두 번째 연구방법으로, 한국 신문의 미신 관련기사에 대해서 일반대중들이 지니고 있는 다양한 관심이나 느낌 및 견해들을 살펴봄으로써, 유형들이 각각 어떠한 특징을 함유하고 있는지를 Q방법론을 적용하여 분석하고자 한다.

이에 따른 설정된 연구문제는 다음과 같다.

첫째, 신문의 '미신' 관련기사에 대한 일반대중들의 인식은 어떠한 유형들로 구분되는가?

둘째, 신문의 '미신' 관련기사에 대한 일반대중들의 인식 유형들 간에는 어떠한 차이점을 갖는가?

제1절 연구방법

앞에서 제기한 연구문제, 즉 신문의 미신 관련기사에 대한 수용형태에 관한 연구는 Q방법론으로 훨씬 잘 연구되어질 수 있다고 생각한다. 이는 Q방법론이 행위자의 관점에서 출발하며 인간 개개인마다 다른 주관성 구조에 따른 서로 다른 유형에 대한 심층적인 이해와 설명이 가능하기 때문이다. 이에 필자는 우리나라 신문의 미신 관련기사에 대한 수용형태를 심도 있게 측정하기 위해서는 기존의 양적 방법을 탈피한 Q방법론적 접근을 시도하였다.

이 저서에서 사용된 Q조사는 우리나라 신문의 미신 관련기사에 대한 일반대중들의 수용형태를 알아보기 위해 진술문형태의 카드를 분류하는 방법으로 이루어졌다. 이 진술문 작성을 위하여 필자는 신문에서 기사화된 내용들과 미신 관련 국내문헌, 그리고 주변 사람들과의 인터뷰를 통하여 Q모집단(concourse)을 구성하였고, 이를 통하여 진술문(Q-statement)을 작성한 후, P샘플을 선정, 분류작업(sorting) 과정을 거쳐 얻게 되는 Q-sort를 PC QUANL 프로그램을 이용[129], Q요인분석(Q-factor analysis)을 통해 분석하였다.

제2절 연구설계

1. Q표본(Q-sample)

이 연구를 위한 Q표본은 신문의 미신 관련기사에 대한 가치체계로 구성된 진술문으로 구성되어 있다. 이 연구에서는 일반대중들이 한국 미신 관련기사에 대한 신문의 미신 관련기사에 대해 지니고 있는 전반적인 관념들과 느낌, 의견, 가치관 등을 종합적으로 얻기 위해 미신과 관련된 전문서적, 학술서적, 저널 등의 관련문헌 연구와 주변의 일반대중들을 대상으로 심층 인터뷰를 통하여 100개의 Q-population(concourse)을 추출하였다. 다음으로 Q-population에 포함된 진술문 중 주제에 관한 대표성이 가장 크다고 여겨지는 진술문을 임의로 선택하는 방법을 사용하여, 최종적으로 30개의 진술문 표본을 결정하였다. 여기에서 선택된 30개의 진술문은 전체적으로 모든 의견들을 포괄하고, 긍정, 중립, 부

---

129) QUANL Program이란 PC QUANL 프로그램을 이용

정의 균형을 이룰 수 있도록 구성하였다(〈표 55〉 참조).

2. P표본(P – sample)

Q방법론은 개인 간의 차이(inter –individual differences)가 아니라 개인 내의 중요성의 차이(intra –individual difference in significance)를 다루는 것이므로 P샘플의 수에 아무런 제한을 받지 않는다[130]. 또한 Q연구의 목적은 표본의 특성으로부터 모집단의 특성을 추론하는 것이 아니기 때문에 P표본의 선정도 확률적 표집방법을 따르지 않는다[131].

이에 필자는 위에서 제시한 기준에 의거하여 성별, 연령, 직업 등 인구학적 특성을 적절히 고려하여 30명을 P샘플로 선정하였다.

3. Q분류작업(Q – sorting)

Q표본과 P표본의 선정이 끝나게 되면, P표본으로 선정된 각 응답자(Q-sorter)에게 일정한 방법으로 Q샘플을 분류시키는데, 이를 Q분류작업(Q-sorting)이라 부른다. Q분류작업은 개인이 복잡한 주제나 이슈 또는 상황에 관한 자신의 마음의 태도를 스스로 모형화하는 것으로서 각 응답자는 진술문을 읽은 후 그것들을 일정한 분포 속에 강제적으로 분류하게 된다.[132]

이 연구에서의 Q분류의 절차는 Q표본으로 선정된 각각의 진술문이

---

130) 김홍규(1990). p.45.
131) 김홍규(1999). p.54.
132) 김홍규(1999). 앞의 책. p.54.

적힌 카드를 응답자가 읽은 후 긍정(+), 중립(0), 부정(-)으로 크게 3개의 그룹으로 분류한 다음 긍정 진술문 중에서 가장 긍정하는 것을 차례로 골라서 바깥에서부터(+4) 안쪽으로 분류를 진행하여 중립부분에서 정리하도록 하였다.

마찬가지의 방법으로 부정 진술문들을 분류하게 하였으며, 이때 양 끝에 놓여진 3개의 진술문에 대해서는 각각의 코멘트(심층인터뷰)를 받아 두었다. 이것은 Q-factor 해석에 유용한 정보를 제공해 주기 때문이다.

4. 자료의 처리

우리나라 신문의 미신 관련기사에 대한 수용형태를 분석하기 위해 P 표본에 대한 조사가 완료된 후 수집된 자료를 점수화하기 위하여 Q표본 분포도에서 가장 부정적인 경우 (-4)를 1점으로 시작하여 2점(-3), 3점(-2), 4점(-1), 5점(0), 6점(+1), 7점(+2), 8점(+3) 그리고 가장 긍정적인 경우 9점(+4)을 부여하여 점수화하였다(〈표 55〉 참조).

이 부여된 점수를 진술문 번호순으로 코딩하였고, 이러한 자료를 PC용 QUANL 프로그램으로 처리하여 그 결과를 얻게 되었다.

〈표 55〉 각 진술문의 긍정 및 부정 의견 점수 분포방식

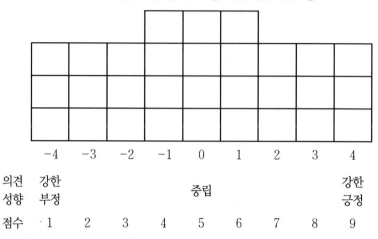

의견 성향	강한 부정				중립				강한 긍정
점수	1	2	3	4	5	6	7	8	9

〈표 56〉 Q진술문의 유형별 표준점수

Q진술문(Q-Statements)	유형별 표준점수			
	1유형 (N=14)	2유형 (N=10)	3유형 (N=3)	4유형 (N=3)
1. 나는 기독교 가정에서 자라 왔기 때문에 미신 관련기사와 같은 것들은 개인적으로 모두 배격한다.	-1.0	0.5	-1.9	1.2
2. 나는 미신이라는 것이 믿을 근거가 없는 한마디로 헛소리라고 생각하기 때문에 미신 관련기사를 믿지 않는다.	-0.6	1.2	-1.0	1.1
3. 나는 어차피 인간은 불확실하고 불완전한 존재이기 때문에 미신이나 미신 관련기사에 의존할 수도 있다고 생각한다.	0.7	-1.1	0.0	-1.1
4. 나는 자신의 의지에 따라서 운명이 바뀌진다고 보기 때문에 미신 및 미신 관련기사를 믿지 않는다.	0.1	1.1	1.4	0.2
5. 미신을 중요시하는 사람들은 자신에 대해 자신감이 없고 나약한 사람들이라고 생각한다. 따라서 나는 미신 관련기사를 선호하지 않는다.	-0.5	0.6	0.1	0.5
6. 나는 미신 관련기사가 너무 극단적인 내용으로 사람들을 현혹시키고 흥미를 유발하기 때문에 싫어한다.	-0.3	0.7	1.4	1.1
7. 나는 미신 관련기사라는 것이 그저 흥밋거리, 심심풀이로 보는 경우가 있다고 생각된다.	1.3	0.7	1.6	-0.6
8. 나는 개인적으로 무엇인가 뚜렷한 관심사가 있을 때만 미신 관련기사를 읽는다.	0.9	0.2	1.1	-0.5
9. 나는 미신 관련기사가 사회에 악영향 내지 부정적 영향을 미친다고 생각한다.	-0.8	-0.1	1.9	1.2

Q진술문(Q-Statements)	유형별 표준점수			
	1유형 (N=14)	2유형 (N=10)	3유형 (N=3)	4유형 (N=3)
10. 나는 단순히 미신 관련기사를 비판하기 앞서 미신에 대한 올바른 인식이 필요하다고 생각한다.	1.3	1.5	0.8	-0.8
11. 나는 미신 관련기사가 어떤 기분전환이나 휴식을 제공하는 장점도 있다고 생각한다.	1.4	0.7	-0.5	-0.9
12. 나는 나의 미래의 운명과 신수에 대한 궁금증으로 미신 관련기사를 자주 접하는 편이다.	0.4	-1.5	-1.3	-0.9
13. 나는 인간의 힘으로 해결하지 못하는 것이 있다고 보기 때문에 가끔 미신 관련기사를 보는 편이다.	1.6	-1.4	0.2	-1.2
14. 나는 평소에 고민거리가 있거나 답답한 마음을 달래기 위해서, 즉 심적 안정을 꾀하기 위해서 때때로 미신 관련기사를 읽는다.	1.6	-0.6	-0.3	-1.6
15. 나는 미신 관련기사를 믿는 편이다.	0.4	-1.2	-1.8	-1.0
16. 나는 미신 관련기사를 거의 믿지 않는다.	-1.4	0.2	0.4	1.5
17. 나는 미신 관련기사에 거의 관심이 없다.	-1.6	0.5	-0.4	1.0
18. 나는 미신 관련기사가 사람과 사회에 대해서 불신감을 조장하기 때문에 싫어한다.	-0.7	0.6	-0.5	0.4
19. 나는 연말연시나 선거 때만 되면 연례행사처럼 등장하는 미신 관련기사들을 싫어한다.	-0.4	1.1	0.4	0.2
20. 나는 미신이나 미신 관련기사와 같은 것들이 없어져야 한다고 생각한다.	-1.2	-0.1	0.0	1.3
21. 나는 미신 관련기사가 사회적 국가적 차원으로 배척되어야 한다고 생각한다.	-1.4	-0.8	0.8	1.3
22. 나는 미신 관련기사가 사람들로 하여금 소극적인 사고방식을 갖게끔 조장한다고 여겨지기 때문에 읽지 않는다.	-0.4	0.7	0.2	0.5
23. 나는 미신이라는 것이 세상살이 경험이 많은 연세가 지긋한 분들이 믿고 있기 때문에 개인적으로 의존하는 편이다.	0.6	-1.4	-1.2	-0.5
24. 나는 미신을 학문적으로 연구할 가치가 있다고 생각하기 때문에 미신 관련기사를 자주 접한다.	-0.5	-1.6	-1.0	-0.6
25. 나는 미신이라는 것이 실제 세상살이에 있어서 가끔 필요한 처세술과 같은 것들을 제공해 주는 면도 있다고 생각한다.	1.4	-0.3	0.0	-0.7
26. 나는 미신 관련기사가 확인이 안 된 꽤 긍정적인 부분이 있다고 생각한다.	1.5	-1.1	0.6	-1.5
27. 나는 21세기를 살아가는 현대인이라면 미신 관련기사 그 자체에 대해서 확실하게 무시해야 한다고 생각한다.	-0.7	0.5	1.1	0.4
28. 나는 미신 자체를 하나의 종교의 한 분야로서 인정했으면 하는 입장이므로 미신 관련기사에 대해서 호의적으로 생각한다.	0.2	-1.9	-0.6	-1.8
29. 나는 지적인 수준이 그리 높지 않은 보통 사람들이 주로 운세와 관련해서 근거 없이 믿는 것이 미신이므로 미신기사를 잘 보지 않는다.	-1.1	1.3	-1.7	1.1
30. 미신이라는 것이 이치에 어긋난 것을 잘못 생각해서 믿고 있는 신앙, 즉 믿어서는 안 될 것을 믿는 것이 미신이라고 생각하므로 미신 관련기사를 신뢰하지 않는다.	-0.8	1.0	0.2	0.5

〈표 57〉 조사대상 인구학적 특성 및 유형별 인자가중치

유형	ID	성별	연령	직업	인자가중치
I (N=14)	1	여성	15세	중학교 2년	1.2169
	3	남성	16세	중학교 3년	2.5708
	5	여성	20세	대학교 1년	2.0643
	6	여성	21세	대학교 2년	0.8180
	7	여성	26세	대학원생(석사과정)	1.4236
	8	여성	28세	주부	0.7037
	13	여성	30세	주부	1.1896
	14	여성	30세	가사활동	1.1152
	16	여성	35세	대학 교직원	1.2117
	23	여성	46세	주부	2.1316
	24	여성	47세	주부	2.3223
	25	여성	54세	주부	1.3031
	26	여성	58세	주부	1.4823
	30	남성	59세	자영업(신문보급소 운영)	1.6827
II (N=10)	9	남성	21세	대학교 2년	0.6834
	10	남성	21세	공익근무요원	0.6468
	12	남성	29세	대학원생(석사과정)	0.6488
	17	여성	38세	중학교 교사	1.0263
	19	남성	33세	대학원생(박사수료)	0.4970
	20	남성	35세	대학원생(박사수료)	1.6523
	21	남성	37세	회사원(운전기사)	1.0420
	22	남성	39세	신문기자(박사과정)	0.7053
	27	남성	44세	신문기자(박사과정)	0.2668
	29	남성	56세	회사원(건설 분야)	0.7004
III (N=3)	2	여성	19세	고등학교 3년	1.8972
	4	남성	18세	고등학교 2년	0.8134
	18	남성	33세	대학원생(박사과정)	0.7028
IV (N=3)	11	남성	26세	대학교 3년	0.9347
	15	여성	34세	미술학원교사	2.8605
	28	남성	48세	은행원	1.3045

제3절 Q방법론의 의미와 평가

사회과학 분야에 있어서 과학성 제고를 위한 노력과 경향은 오랜 기간 계속되었다. 행태주의라는 학문적 풍조는 사회과학의 과학성 제고에는 기여한 바가 컸으나 사회과학이 사회가 요구하는 가치를 제공하는 데에는 실패했다는 비판이 제기되었다. 후기행태주의, 탈행태주의, 현상학의 등장은 이러한 비판을 기초로 하고 있다.

행태주의에 대한 비판과 더불어 우리의 관심을 끌었던 방법론 중의 하나가 Q방법론이다.[133] 1930년대에 최초로 발표되었음에도 학자들의 많은 관심을 끌지 못하다가 후기 행태주의의 등장으로 새로운 방법론으로 인식되면서 활발히 논의되기 시작하였다.

한국의 경우 1970년대에 미국에서 유학한 학자들이 국내에 소개한 이후 콘텐츠방송학, 광고학, 정치행정학, 정신분석학, 간호학 분야에서 사용되고 있다. 그러나 국내에 발표된 논문들을 분석하면 Q방법론에 대한 정확한 이해 없이 사용된 예가 많다.

Q방법론은 연구 대상자의 자아참조(Self-reference)에 따라 행태와 태도를 결정하며, 변수의 선험적 의미가 주어지지 않는다. 연구 대상자의 내적 관점에 따라 행태와 태도가 결정되는 특징을 갖고 있다.

최근 Q방법론의 효용성은 전통적 행태주의 접근방법에 대한 회의와 비판이 가속화되는 상황에서 확인되었다. 행태주의적 접근방법에 충실한 R방법론에 의한 연구는 대부분 과학적 지식의 창출이라는 명분하에 지식의 성격에 초점을 맞추었다.

그러나 R방법론에 의한 지식은 2가지 측면에서 비판의 대상이 되었다. 첫째, R방법론에 의한 사회과학적 지식은 사회 구성원 가운데 권

---

133) Brown, S., 1980.

력을 가진 계층에 적합한 지식으로 사회의 소외 계층에는 적용될 수 없다는 비판이 1960년대에 제기되었다. R방법론에 의한 지식은 기존의 정치권력 구조를 강화하는 데에 이용된다는 것이다.

둘째의 비판은 첫째의 비판과 밀접하게 관련되어 있다. R방법론에 기초한 지식은 사회의 현상과 상황에 적절하지 못한 잘못된 정보를 제공함으로써 정치·행정의 정책과정에 오류를 낳게 한다.

이러한 비판과 함께 정치·행정학에 있어서 Q방법론의 활용은 실용적, 철학적 측면에서 효용성을 갖고 있다.[134] 정치·행정가들은 R방법론이 추구하는 바와 같은 지식의 성격보다는 그들이 어떻게 그들의 업무를 수행하고 있는가 하는 실용적 측면에 보다 많은 시간을 소요하고 있다. 정치·행정가들은 정책과정에 다양한 가치의 발견에 보다 관심을 갖고 있다. 이러한 상황을 감안할 때 Q방법론이 실용적 측면에서 효용성이 있다고 할 수 있다.

정치·행정가들의 근무환경과 특성을 감안할 때 Q방법론의 효용성은 더욱 커진다. 정치·행정가들이 객관적 가설, 과학적 지식을 믿고 있지만 그들은 과학적 방법에 익숙하지 않을 뿐만 아니라 과학적 방법에 관심도 적은 편이다. 정치·행정가들의 문제 접근방식이 현상학적이라는 사실도 정치·행정학 분야에 있어서 Q방법론의 효용을 높이고 있다.

실제의 정책과정을 보면 다양한 가치와 의견, 견해들이 대립되는 것이 일반적이다. 이러한 다양한 의견, 견해, 가치 등을 발견하는 데 Q방법론의 효용성이 있다. 끝으로 Q방법론이 효율적, 경제적이라는 점도 Q방법론의 매력이다. 적은 수의 연구 대상을 중심으로 연구가 가능하기 때문에 R방법론에 비교하여 적은 비용과 시간이 소요된다.

---

134) Brown, S., D. During & S. Selden, 1999.

정치·행정철학적 관점에서도 Q방법론의 효용성을 확인할 수 있다. 행태주의적 접근방법에 대한 비판은 1960년대, 1970년대 신행정학의 흐름을 낳았다. 후기 행태주의로 특징되는 신행정학의 견해와 Q방법론은 서로 양립이 가능하다. 신행정학의 견해에 따르면 정책과정이 현상학적, 이념적, 해석적이라고 보기 때문이다.

정치학적 관점에서도 후기 행태주의자들은 행태주의적 접근방법은 잘못된 지식을 낳을 뿐만 아니라, 사회의 불평등을 악화시키고 있다고 비판하였다.[135] 다양한 이익집단에 의한 자유민주주의는 특권층을 옹호하는 경향이 있기 때문에 그 대안으로 다양한 주장이 개진될 수 있는 대중적 민주주의(Discursive)를 옹호하는 관점도 Q방법론의 효용성을 인정하고 있다.

반면, 실증주의자들은 지식의 가장 두드러진 특징을 그것의 검증가능성에 있다고 보며, 과학의 경험적 기초는 공적으로 관찰될 수 있는 사물이나 현상을 지칭하는 진술들로 이루어져 있는 것으로 파악했다. 그러나 최근 이러한 실증주의는 많은 비판에 직면해 있다. 특히 인간의 주관성을 강조하는 인문학적 전통의 학자들에 의해 많은 비판을 받고 있는 것이다.[136]

Q방법론의 철학은 이러한 문제로부터 출발, 논리 실증주의 방법에 대한 비판과 그 대안으로 발전되었다. 첫째, 자연현상에는 가치구조가 개입되지 않지만 사회 안에서의 인간은 특수한 의미와 적합성의 구조를 가지므로 인간의 주관성을 배제해서는 인간의 본질과 사회현상을 제대로 연구할 수 없다는 것이다. 둘째, 논리 실증주의에서 바라보는 사회적 사실은 자연현상과 마찬가지로 이미 구성된(pre-constituted) 것

---

135) Dryzek, J., 1990.
136) 김흥규, 1996, p.22.

으로 간주하지만 사회적 현실은 의미적으로 구성되어지기(constructed) 때문에 의미의 해석을 통한 이해(understanding)의 방법이 필요한 것이라는 주장이다.

즉 Q방법론은 '외부로부터 설명'하는 방법이 아니라 '내부로부터 이해'하는 접근방법임을 의미한다. 이는 연구자의 조작적 정의(operational definition)가 아닌 응답자 스스로 그들의 의견과 의미를 만들어 가는 operant definition의 개념을 중요하게 여긴다. 따라서 여기에 사용되는 진술문(Q-statement)은 모두 응답자의 자아참조적 의견 항목으로 구성되어 있다.

물론 Stephenson은 경험주의 방법론이 갖는 한계와 오류를 극복하기 위해 이해의 방법으로 Q방법론을 주창하고 있지만 해석학이나 현상학에서 제시하는 것처럼 다소 애매모호하고 주관적인 해석방법과는 거리를 두고 있다.[137]

다음으로, Q방법론 관련 논의사항을 살펴보면, 1950년대까지 Q방법론과 이를 적용하는 연구가 활발히 이루어져 왔다. 지난 50여 년 동안 Q방법론은 일반원리, 생리 지각학습(학습, 기억, 사고), 행동(행동, 욕구, 의지, 감정, 정서), 발달, 특수교육, 임상(임상, 검사, 상담, 조언), 사회(사회, 집단, 문화, 산업), 직업지도 등 분야의 연구에 활용되어 왔다.[138] 그 이후 주로 이론검증, 특성의 유형화 연구, 심리치료 및 상담 전문의 변화연구, 심리검사의 타당화 등의 교육과 심리의 분야뿐만 아니라 정치학, 사회학, 경영학, 언론, 광고 등의 분야에도 널리 적용되어 왔다.

Q방법론에 관련된 연구는 1996년까지 'ERIC'과 'PPSYINFO'에 수

---

137) 김흥규, 앞의 논문.
138) 齊藤耕二・情水利信, 1959.

록된 것을 모두 합하면 850여 편이나 된다.[139] 이들 연구물은 그 대상과 주제 및 내용이 매우 다양하다. 이건인(1996)의 분석에 따르면 이들 연구물들은 주로 '방법론으로서의 Q방법론의 특징, Q-SET의 개발과 그 타당성, 사람의 군집 유형, 인간관계 및 의사소통, 지도성 유형, 부모의 양육태도와 애착 유형, 학교풍토와 학교와 지역사회와의 협력 양성, 교사의 행동, 태도, 교수형태와 학생의 학업성적, 아동과 청소년의 사회성, 학습과 훈련 프로그램의 효과 및 유행, 소비자 행동과 관리 경영행동, 간호사의 행동과 간호 행동, 병의 진단, 인성 및 자아개념, 스트레스와 적응, 상당행동과 상담 효과, 기타' 등에 관한 것이라고 한다. ERIC에 수록된 Q방법론과 관련 연구들의 분석[140]에 따르면, Q 연구물이 1996년 4월까지 303편이 수록되어 있다. 이들은 1960년대의 것이 46편, 1970년대의 것이 114편, 1980년대의 것이 98편 그리고 1996년 4월까지의 것이 45편이다. 이들의 내용은 1) Q-set의 개발과 타당호, 2) 유아 및 아동교육, 3) 교과교육, 4) 교육과정 개발 및 설계, 5) 교수 및 학습, 그리고 6) 직업 및 진로 교육 등에 관한 것이다.

지금까지 Q관련국내 연구는 상당히 미흡하다고 볼 수 있다. 교육과 심리, 보건 및 의료, 언론과 소비자 등과 관련하여 다양한 분야로 연구되어 왔다. 그러나 '리서치' 중심의 연구와 달리 Q연구의 부진 이유 2가지는 Q방법론에 관한 이해가 확산되지 못한 것과 Q방법론의 이론과 그 적용의 어려움이라고 할 수 있을 것이다. Q방법론은 연구대상의 특정 변인을 규정하고 그 변인을 대표하는 진술문을 수집 또는 작성하여, 그 특정 변인의 구조에 적합하다고 여겨지는 적은 대상자로 하여금 준비한 진술문을 대상자가 주관적으로 정한 기준에 따라 정상

---

139) 이건인, 1996, p.30.
140) 백용덕·김성수, 1998, pp.44-71.

또는 준 정상분포가 되도록 분류하게 하고, 이를 상관분석, 변량분석, 요인분석과 요인정렬의 순서로 통계처리한다. 변량분석과 요인분석 등의 통계적 처리 능력 없이는 Q방법론적 연구가 제약을 받는다.

다음으로, Q방법론의 개념적 측면을 살펴보면 다음과 같다. 윌리엄 스티븐슨[141]에 의하면, Q방법론은 개인을 연구하기 위한 일련의 철학적, 심리학적, 통계학적, 심리측정학적 관념이라고 한다. 그리고 Q방법론을 이행하는 데 사용되는 일련의 절차를 Q기법이라고 한다.[142] 맥키온과 토마스[143]에 의하면 Q방법론은 상관관계와 요인분석 등의 통계적 방법을 적용하여 인간의 주관성(human subjectivity)을 체계적으로 그리고 엄밀한 수량적 방법으로 연구하는 독특한 심리측정학적 조작적 원리라고 한다. 여기서 주관성은 개인적으로 또는 사회적으로 중요한 것에 대한 사적 견해(an individual point of view)를 말한다. 주관성, 곧 사적 견해는 체계적으로 그리고 정밀하고 깐깐하게 연구될 수 없는 것으로 여겨 왔는데[144], Q방법론의 대두가 이 같은 고정관념을 바꾸어 놓았다.

Q방법론은 개인의 주관성을 과학적으로 연구하는 심리측정학적 조작적 원리로서 연구하는 하나의 연구방법론이다. Q방법론에서 말하는 주관성은 소통할 수 있는 것(communicable)이며, 항상 자기 조회(self-reference)에 의한다는 두 가지 전제에 바탕을 두고 있다. 주관적 의사소통(subjective communication)은 객관적 분석과 이해가 가능하다. 그리고 이 같은 소통을 연구하는 분석적 방법은 그 과정에서 자기 조회의

---

141) William Stephenson, 1953.
142) Kerlinger, 1986, p.507.
143) R. Mckeown & D. Thomas, 1988, p.7.
144) R. Mckeown & D. Thomas, 위의 논문.

본질을 파괴하거나 변형하지 않는다. Q방법론의 주된 관심은 자기 조회가 연구자에 의해 타협되거나 연구자에 의한 외적 조회 체제와 혼란되지 않고 잘 보존되도록 하는 것이다.[145] 개인의 주관성은 그 자신의 견해에 불과하다. 일상생활에서 흔히 말하는 "내가 관계하는 한……(as for as I'm concerned)" 또는 "내 생각으로는……(in my opinion)" 등과 같은 것이다.[146]

종합하자면, Q방법론의 장·단점을 감안할 때 Q방법론으로 처리할 수 없는 부분은 R방법론에 의하여 보완하고, R방법론으로 해결할 수 없는 영역은 Q방법론으로 해결할 수 있을 것이다. 따라서 Q방법론과 R방법론은 상호 배타적이라기보다는 상호 보완적으로 사회과학의 발전에 기여할 수 있을 것이다.

이러한 논의를 중심으로 Q방법론은 해당 전문가들의 수용행태 유형을 구조화하고 유형별 특성을 파악, 기술하고 설명하는 데 좀 더 발견적이고 가설생성적이며, 수용자의 자아구조(schema) 속에 있는 요인들까지 파악할 수 있다는 장점이 있다.

제4절 연구결과의 해석

한국의 일반대중들이 신문의 미신 관련기사에 관해 지니고 있는 주관성의 유형을 살펴보기 위한 이 연구에서 Q요인분석을 한 결과 연구자가 요구한 대로 3개의 유형이 나타났다. 그러나 QUANL 프로그램을 실시해 본 결과, 제1유형에서의 부정적인 의견에 대한 분포(28.02%)를 차지

145) R. Mckeown & D. Thomas, 앞의 논문.
146) S. R. Brown, 1980, p.46.

하고 있는 것을 고려하여 새로운 유형이 추가로 제시되었다. 따라서 재
구성된 분석유형은 총 4개의 유형으로 나타났다. 이 연구결과는 전체변
량의 약 55%를 설명하고 있는 4개의 유형에는 각각 14명, 10명, 3명, 3
명이 속하였는데, 여기서 인원수의 의미는 없다. 또한 인자가중치가 1.0
이상인 사람이 각각 12명, 3명, 1명, 2명이 속해 있어 제1유형이 가장 큰
인자임을 알 수 있다. 또한 〈표 58〉에서 보듯이, 재구성된 4개 유형 이전
의 유형의 변량 크기를 나타내는 3개 유형에 대한 아이겐 값(eigen
value)은 각각 10.2826, 4.3841, 1.6938로 나타났다.

〈표 58〉 유형별 아이겐 값(eigen value)과 변량의 백분율

	제1유형	제2유형	제3유형
아이겐 값	10.2826	4.3841	1.6938
전체변량 백분율	0.3428	0.1461	0.0565
누적 빈도	0.3428	0.4889	0.5454

〈표 59〉 유형 간의 상관관계

	제1유형	제2유형	제3유형	제4유형
제1유형	1.000			
제2유형	−0.281	1.000		
제3유형	0.110	0.277	1.000	
제4유형	−0.861	0.552	0.124	1.000

〈표 59〉는 각 유형 간의 상관계수를 나타내 주는데, 이는 각 유형
간의 유사성 정도를 보여주는 것으로 제1유형과 제2유형 간의 상관
계수는 −0.281이며, 제1유형과 제3유형은 0.110, 제1유형과 제4유형
은 −0.861의 상관관계를 보이고 있으며 제2유형과 제3유형은 0.277,

제2유형과 제4유형은 0.552, 제3유형과 제4유형은 0.124의 상관관계를
보이고 있다.

〈표 57〉은 각 유형에 속한 사람들의 인구사회학적 특성과 인자가중
치(factor weight)를 제시한 것이다. 각각의 유형 내에서 인자가중치
(factor weight)가 높은 사람일수록 그가 속한 유형에 있어서 그 유형
을 대표할 수 있는 전형적인 사람임을 나타낸다고 볼 수 있다.

1. 유형별 특성 분석

1) 제1유형(N=14): 기능적 미신 긍정형
   (Functionally Superstition Affirmative Type)

〈표 60〉 제1유형에서 표준점수 ±1.00 이상을 보인 진술문

	Q진술문	표준점수
긍정	13. 나는 인간의 힘으로 해결하지 못하는 것이 있다고 보기 때문에 가끔 미신 관련기사를 보는 편이다.	1.63
	14. 나는 평소에 고민거리가 있거나 답답한 마음을 달래기 위해서, 즉 심적 안정을 꾀하기 위해서 때때로 미신 관련기사를 읽는다.	1.62
	26. 나는 미신 관련기사가 확인이 안 된 꽤 긍정적인 부분이 있다고 생각한다.	1.45
	25. 나는 미신이라는 것이 실제 세상살이에 있어서 가끔 필요한 처세술과 같은 것들을 제공해 주는 면도 있다고 생각한다.	1.38
	11. 나는 미신 관련기사가 어떤 기분전환이나 휴식을 제공하는 장점도 있다고 생각한다.	1.36
	10. 나는 단순히 미신 관련기사를 비판하기 앞서 미신에 대한 올바른 인식이 필요하다고 생각한다.	1.33
	07. 나는 미신 관련기사라는 것이 그저 흥밋거리, 심심풀이로 보는 경우가 있다고 생각된다.	1.27

Q진술문	표준점수
01. 나는 기독교 가정에서 자라 왔기 때문에 미신 관련기사와 같은 것들은 개인적으로 모두 배격한다.	-1.02
29. 나는 지적인 수준이 그리 높지 않은 보통 사람들이 주로 운세와 관련해서 근거 없이 믿는 것이 미신이므로 미신기사를 잘 보지 않는다.	-1.14
부정 20. 나는 미신이나 미신 관련기사와 같은 것들이 없어져야 한다고 생각한다.	-1.15
16. 나는 미신 관련기사를 거의 믿지 않는다.	-1.35
21. 나는 미신 관련기사가 사회적 국가적 차원으로 배척되어야 한다고 생각한다.	-1.41
17. 나는 미신 관련기사에 거의 관심이 없다.	-1.57

　먼저, 제1유형은 신문의 미신 관련기사에 대해서 호의적인 반응을 보이면서 잔잔한 기쁨도 얻을 수 있고 또한 세상을 살아가는 데 도움이 될 만한 것이면 수용하려는 '기능적 미신 긍정형'이라고 볼 수 있다. 특히, 13번 문항 "나는 인간의 힘으로 해결하지 못하는 것이 있다고 보기 때문에 가끔 미신 관련기사를 보는 편이다.(1.63)"와 14번 문항 "나는 평소에 고민거리가 있거나 답답한 마음을 달래기 위해서, 즉 심적 안정을 꾀하기 위해서 때때로 미신 관련기사를 읽는다.(1.62)"가 가장 긍정적인 성향의 의견이었으며, 가장 부정적인 견해로는 16번 문항 "나는 미신 관련기사를 거의 믿지 않는다.(-1.35)", 21번 문항 "나는 미신 관련기사가 사회적 국가적 차원으로 배척되어야 한다고 생각한다.(-1.41)", 17번 문항 "나는 미신 관련기사에 거의 관심이 없다.(-1.57)" 등이었다. 즉 이러한 유형의 사람들은 내면적으로 미신을 자기중심적으로 실용적인 차원에서는 이용하려 하지만, 외부적으로는 미신이나 미신 관련기사에 대해서 부정적인 견해를 소유한 사람들이라고 볼 수 있다.

　다음으로 이 유형에서 인자가중치가 가장 높은, 즉 전형적인 사람에 대한 심층조사 결과를 살펴보면 다음과 같다.

중학교 3년생인 남성의 경우(인자가중치: 2.5708), 부정적인 의견을 보인 것에 대한 24번 진술문에 대해서 "아버님이 불교를 믿습니다. 항상 말씀하십니다. 미신을 실생활에서 잘 적용해야 한다고요.", 21번 진술문에 대해서는 "종교가 있다고 해서 배격하지 말고 연구해 보는 것도 좋다고 생각합니다.", 끝으로 17번 진술문에 대해서 "많이는 아닙니다. 그러나 관심이 많습니다." 등과 같은 견해를 보였다. 또한 긍정적인 의견을 보인 것에 대한 14번 진술문에 대해서 "취미삼아 봅니다. 시험보기 전날, 꼭 봐요. 그래서……", 8번 진술문에 대해서는 "자주는 아니지만 돼지띠에 해당되는 기사들을 보면서 오늘의 일을 계획하기도 합니다.", 끝으로 26번 진술문에 대해서 "남녀공학이거든요. 어제 친구들과 미팅을 했는데, 오늘 아침에 본 운세가 맞더라구요."라는 의견이 있었다.

결국, 이 유형은 미신에 대해서 전적으로 믿지는 않지만, 개인적으로 이익을 고려하여 이용하는 기능주의적 타입이라고 할 수 있다.

2) 제2유형(N=10): 이성적 미신 불신형
(Rationalistic Superstition Unbelief Type)

다음으로, 제2유형은 신문의 미신 관련기사에 대해서 대체적으로 믿지 않지만, 합리적이고 과학적인 사고방식에 의해 미신이나 미신 관련기사를 바라보고 추구하려는 '이성적 미신 불신형'이다. 이 유형에 속한 진술문들을 살펴보면, 10번 문항 "나는 단순히 미신 관련기사를 비판하기 앞서 미신에 대한 올바른 인식이 필요하다고 생각한다.(1.54)", 29번 문항 "나는 지적인 수준이 그리 높지 않은 보통 사람들이 주로 운세와 관련해서 근거 없이 믿는 것이 미신이므로 미신기사를 잘 보지 않는다.(1.27)", 2번 문항 "나는 미신이라는 것이 믿을 근거가 없는 한마디로 헛소리라고 생각하기 때문에 미신 관련기사를 믿지 않는

다.(1.24)" 등이 가장 긍정적인 항목에서 높은 점수를 받았으며, 가장
부정적인 항목으로는 12번 문항 "나는 나의 미래의 운명과 신수에 대
한 궁금증으로 미신 관련기사를 자주 접하는 편이다.(-1.48)", 24번
문항 "나는 미신을 학문적으로 연구할 가치가 있다고 생각하기 때문
에 미신 관련기사를 자주 접한다.(-1.64)", 28번 문항 "나는 미신 자
체를 하나의 종교의 한 분야로서 인정했으면 하는 입장이므로 미신
관련기사에 대해서 호의적으로 생각한다.(-1.92)" 등의 의견을 보였
다. 즉 이 유형의 사람들은 미신과 미신 관련기사에 대해서 현실주의
적인 입장에서 세상을 바라볼 경우에는 사회적 영향에 민감한 부류의
사람들과 지식 지향주의 입장에 동의하는 사람들이라고 볼 수 있다.

　다음으로 이 유형에서 인자가중치가 가장 높은, 즉 전형적인 사람에
대한 심층조사 결과를 살펴보면 다음과 같다.

　박사과정을 수료한 대학원생인 남성의 경우(인자가중치: 1.6523),
부정적인 의견을 보인 것에 대한 12번 진술문에 대해서 "사실, 평소에
는 보지 않으나, 개인적으로 중요한 행사가 있을 때를 제외하고는 전
혀 관심이 없다", 13번 진술문에 대해서는 "그렇다고 할 수 없다. 능
력껏 하는 것이 의미가 있다고 본다.", 끝으로 3번 진술문에 대해서
"아주 믿는 것은 아니다. 그러나 어떤 사람들에게는 세상살이에서 뭔
가 의지할 곳이 있어야 할 것으로 여겨진다." 등과 같은 견해를 보였
다. 또한 긍정적인 의견을 보인 것에 대한 11번 진술문에 대해서 "가
끔, 신문에서 오늘의 운세란 등은 흥미가 있다.", 4번 진술문에 대해서
는 "지금껏, 내 자신의 능력을 키우기 위해 노력해 왔다. 그러므로 하
찮은 운세 따위에 전적으로 내 자신을 맡기지 않는다.", 끝으로 10번
진술문에 대해서 "학문적인 성향에서 검토작업이 필요하다고 봅니다."
라는 의견이 있었다.

따라서 이 유형은 미신에 대해서 중간적인 입장을 취하면서, 자신의 능력을 믿고, 미신이라는 것을 새롭게 개척해야 할 학문의 한 분야로 생각하는 합리적인 성향의 상황에 기인하는 타입이라고 할 수 있다.

〈표 61〉 제2유형에서 표준점수 ±1.00 이상을 보인 진술문

	Q진술문	표준점수
긍정	10. 나는 단순히 미신 관련기사를 비판하기 앞서 미신에 대한 올바른 인식이 필요하다고 생각한다.	1.54
	29. 나는 지적인 수준이 그리 높지 않은 보통 사람들이 주로 운세와 관련해서 근거 없이 믿는 것이 미신이므로 미신기사를 잘 보지 않는다.	1.27
	02. 나는 미신이라는 것이 믿을 근거가 없는 한마디로 헛소리라고 생각하기 때문에 미신 관련기사를 믿지 않는다.	1.24
	04. 나는 자신의 의지에 따라서 운명이 바꿔진다고 보기 때문에 미신 및 미신 관련기사를 믿지 않는다.	1.15
	19. 나는 연말연시나 선거 때만 되면 연례행사처럼 등장하는 미신 관련기사들을 싫어한다.	1.14
	30. 미신이라는 것이 이치에 어긋난 것을 잘못 생각해서 믿고 있는 신앙, 즉 믿어서는 안 될 것을 믿는 것이 미신이라고 생각하므로 미신 관련기사를 신뢰하지 않는다.	1.01
부정	03. 나는 어차피 인간은 불확실하고 불완전한 존재이기 때문에 미신이나 미신 관련기사에 의존할 수도 있다고 생각한다.	−1.08
	26. 나는 미신 관련기사가 확인이 안 된 꽤 긍정적인 부분이 있다고 생각한다.	−1.12
	15. 나는 미신 관련기사를 믿는 편이다.	−1.19
	13. 나는 인간의 힘으로 해결하지 못하는 것이 있다고 보기 때문에 가끔 미신 관련기사를 보는 편이다.	−1.39
	23. 나는 미신이라는 것이 세상살이 경험이 많은 연세가 지긋한 분들이 믿고 있기 때문에 개인적으로 의존하는 편이다.	−1.40
	12. 나는 나의 미래의 운명과 신수에 대한 궁금증으로 미신 관련기사를 자주 접하는 편이다.	−1.48
	24. 나는 미신을 학문적으로 연구할 가치가 있다고 생각하기 때문에 미신 관련기사를 자주 접한다.	−1.64
	28. 나는 미신 자체를 하나의 종교의 한 분야로서 인정했으면 하는 입장이므로 미신 관련기사에 대해서 호의적으로 생각한다.	−1.92

3) 제3유형(N=3): 자기 주관적 미신 부정형
(Self‒subjective Superstition Unbelief Type)

〈표 62〉제3유형에서 표준점수 ±1.00 이상을 보인 진술문

Q진술문		표준점수
	09. 나는 미신 관련기사가 사회에 악영향 내지 부정적 영향을 미친다고 생각한다.	1.87
	07. 나는 미신 관련기사라는 것이 그저 흥밋거리, 심심풀이로 보는 경우가 있다고 생각된다.	1.58
긍정	04. 나는 자신의 의지에 따라서 운명이 바뀐다고 보기 때문에 미신 및 미신 관련기사를 믿지 않는다.	1.39
	06. 나는 미신 관련기사가 너무 극단적인 내용으로 사람들을 현혹시키고 흥미를 유발하기 때문에 싫어한다.	1.39
	08. 나는 개인적으로 무엇인가 뚜렷한 관심사가 있을 때만 미신 관련기사를 읽는다.	1.09
	27. 나는 21세기를 살아가는 현대인이라면 미신 관련기사 그 자체에 대해서 확실하게 무시해야 한다고 생각한다.	1.06
부정	24. 나는 미신을 학문적으로 연구할 가치가 있다고 생각하기 때문에 미신 관련기사를 자주 접한다.	−1.03
	23. 나는 미신이라는 것이 세상살이 경험이 많은 연세가 지긋한 분들이 믿고 있기 때문에 개인적으로 의존하는 편이다.	−1.19
	12. 나는 나의 미래의 운명과 신수에 대한 궁금증으로 미신 관련기사를 자주 접하는 편이다.	−1.30
	29. 나는 지적인 수준이 그리 높지 않은 보통 사람들이 주로 운세와 관련해서 근거 없이 믿는 것이 미신이므로 미신기사를 잘 보지 않는다.	−1.70
	15. 나는 미신 관련기사를 믿는 편이다.	−1.75
	01. 나는 기독교 가정에서 자라 왔기 때문에 미신 관련기사와 같은 것들은 개인적으로 모두 배격한다.	−1.87

　제3유형은 신문의 미신 관련기사에 대해서 자신의 의지를 토대로 운명을 개척하려는 부류의 사람들과(어쩌다 한 번쯤 미신 관련기사를 접해 보는 경우도 있지만) 사회·정서적 차원에서 미신이나 미신 관

련기사에 대해서 부정적으로 여기는 사람들이 속하는 '자기 주관적 미신 부정형'이다. 이 유형의 가장 긍정적인 항목에 높은 점수를 받은 것으로는 9번 문항 "나는 미신 관련기사가 사회에 악영향 내지 부정적 영향을 미친다고 생각한다.(1.87)", 7번 문항 "나는 미신 관련기사라는 것이 그저 흥밋거리, 심심풀이로 보는 경우가 있다고 생각된다.(1.58)", 4번 문항 "나는 자신의 의지에 따라서 운명이 바뀌진다고 보기 때문에 미신 및 미신 관련기사를 믿지 않는다.(1.39)", 6번 문항 "나는 미신 관련기사가 너무 극단적인 내용으로 사람들을 현혹시키고 흥미를 유발하기 때문에 싫어한다.(1.39)" 등이었으며, 또한 가장 부정적인 항목에 높은 점수를 받은 것으로는 29번 문항 "나는 지적인 수준이 그리 높지 않은 보통 사람들이 주로 운세와 관련해서 근거 없이 믿는 것이 미신이므로 미신기사를 잘 보지 않는다.(−1.70)", 15번 문항 "나는 미신 관련기사를 믿는 편이다.(−1.75)", 1번 문항 "나는 기독교 가정에서 자라 왔기 때문에 미신 관련기사와 같은 것들은 개인적으로 모두 배격한다.(−1.87)" 등이었다. 이는 미신 및 미신 관련기사들이 사람들과 사회에 좋지 않은 방향으로 유도하는 부분에 대해서 비판하면서도 자신이 선호하는 개인적 관심 사항에 대해서는 받아들이려는 성향을 갖고 있다고 볼 수 있다.

다음으로 이 유형에서 인자가중치가 가장 높은, 즉 전형적인 사람에 대한 심층조사 결과를 살펴보면 다음과 같다.

고등학교 3학년생인 여성의 경우(인자가중치: 1.8972), 부정적인 의견을 보인 것에 대한 15번 진술문에 대해서 "저는요. 천주교 신자이거든요. 종교인이 모두 그럴 거라고는 생각하지 않습니다.", 12번 진술문에 대해서는 "고3이거든요. 저는 그래도 저의 능력을 믿습니다.", 끝으로 1번 진술문에 대해서 "부모님도 강조하시는 것 중에서 자신이 개척해야 함에 대한 말씀이 기억납니다. 어쨌든, 안 믿어요. 그런데요……
저는 가끔씩 보거든요. 재밌잖아요." 등과 같은 견해를 보였다. 또한 긍
정적인 의견을 보인 것에 대한 9번 진술문에 대해서 "작년에 겨울에
신문에서 자주 보는 현상이던데요…… 21세기 운운하는…… 점쟁이들
을 배격해요.", 21번 진술문에 대해서는 "21세기는 능력 있는 사람이
대우받을 것이기 때문이에요.", 끝으로 27번 진술문에 대해서 "친구들
과 놀이 삼아서 봅니다. 재밌죠…… 하지만 믿는 것 자체가 웃음거리인
것 같기도 하더라구요."라는 의견이 있었다.

한마디로, 이 유형은 겉과 속이 다른 형태인 자기 주관형이라고 볼
수 있는데, 외부적으로 볼 때는 이러한 것에 대해서 비난을 하지만,
내면적으로 관심이 있고, 흥미를 갖는 유형인 것이다.

4) 제4유형(N=3): 이성적 미신 배척형
(Rational Superstition Rejective Type)

마지막으로, 〈표 63〉에서 보듯이, 제4유형은 신문의 미신 관련기사
나 미신에 관한 모든 내용들에 대해서 배척하고 거부하는 태도를 지
니고 있는 '이성적 미신 배척형'이라고 볼 수 있다. 이 유형의 내용을
살펴보면, 가장 긍정적인 항목에 높은 점수를 보인 문항으로는 "16.
나는 미신 관련기사를 거의 믿지 않는다.(1.53)", "20. 나는 미신이나
미신 관련기사와 같은 것들이 없어져야 한다고 생각한다.(1.33)", "21.
나는 미신 관련기사가 사회적 국가적 차원으로 배척되어야 한다고 생
각한다.(1.31)" 등이었으며, 가장 부정적인 항목에 높은 점수를 보인
문항으로는 "26. 나는 미신 관련기사가 확인이 안 된 꽤 긍정적인 부
분이 있다고 생각한다.(-1.47)", "14. 나는 평소에 고민거리가 있거나
답답한 마음을 달래기 위해서, 즉 심적 안정을 꾀하기 위해서 때때로

미신 관련기사를 읽는다.(-1.59)", "28. 나는 미신 자체를 하나의 종교의 한 분야로서 인정했으면 하는 입장이므로 미신 관련기사에 대해서 호의적으로 생각한다.(-1.78)" 등이었다. 결국, 제4유형은 제1유형과는 거의 반대적인 성향을 지닌 유형이라고 볼 수 있으며, 미신이나 미신 관련기사와 같은 것들이 개인적으로나 국가 및 사회적으로 배척되어야 한다는 철저한 비판적인 태도를 견지하고 있음을 알 수 있다.

다음으로 이 유형에서 인자가중치가 가장 높은, 즉 전형적인 사람에 대한 심층조사 결과를 살펴보면 다음과 같다.

미술학원 교사로 재직 중인 여성의 경우(인자가중치: 2.8605), 부정적인 의견을 보인 것에 대한 28번 진술문에 대해서 "하나의 종교로서 인정하기에는 문제가 여러 가지 문제가 있다고 본다.", 26번 진술문에 대해서는 "그러한 기사들을 쓰는 사람들의 글 자체를 믿을 수 없다.", 끝으로 14번 진술문에 대해서 "힘든 상황이 닥친다고 해도 꿋꿋이 견딘다." 등과 같은 견해를 보였다. 또한 긍정적인 의견을 보인 것에 대한 1번 진술문에 대해서 "기독교 모태신앙이라서 무엇보다도 미신과 같은 것들을 배격한다.", 20번 진술문에 대해서는 "미신과 같은 것은 악마와 같은 것이므로 믿어서는 안 된다.", 끝으로 21번 진술문에 대해서 "미신과 관련된 내용들이 활개 쳐서는 안 되므로 철저히 무시돼야 한다."라는 의견이 있었다.

다시 말해서, 이러한 유형에 속한 사람들은 대내외적으로 미신에 대해서 불신감과 거부감을 동시에 지니고 있으며, 종교(기독교)를 믿는 성향의 사람들과 미신을 하나의 악령과 같은 의미로 해석하는 부류의 사람들이 이에 속한다고 볼 수 있다. 따라서 이 유형을 '이성적 미신 배척형'이라고 명명하였다.

〈표 63〉제4유형에서 표준점수 ±1.00 이상을 보인 진술문

	Q진술문	표준점수
긍정	16. 나는 미신 관련기사를 거의 믿지 않는다.	1.53
	20. 나는 미신이나 미신 관련기사와 같은 것들이 없어져야 한다고 생각한다.	1.33
	21. 나는 미신 관련기사가 사회적 국가적 차원으로 배척되어야 한다고 생각한다.	1.31
	01. 나는 기독교 가정에서 자라 왔기 때문에 미신 관련기사와 같은 것들은 개인적으로 모두 배격한다.	1.18
	09. 나는 미신 관련기사가 사회에 악영향 내지 부정적 영향을 미친다고 생각한다.	1.17
	29. 나는 지적인 수준이 그리 높지 않은 보통 사람들이 주로 운세와 관련해서 근거 없이 믿는 것이 미신이므로 미신기사를 잘 보지 않는다.	1.14
	02. 나는 미신이라는 것이 믿을 근거가 없는 한마디로 헛소리라고 생각하기 때문에 미신 관련기사를 믿지 않는다.	1.12
	06. 나는 미신 관련기사가 너무 극단적인 내용으로 사람들을 현혹시키고 흥미를 유발하기 때문에 싫어한다.	1.09
	17. 나는 미신 관련기사에 거의 관심이 없다.	1.03
부정	15. 나는 미신 관련기사를 믿는 편이다.	−1.03
	03. 나는 어차피 인간은 불확실하고 불완전한 존재이기 때문에 미신이나 미신 관련기사에 의존할 수도 있다고 생각한다.	−1.06
	13. 나는 인간의 힘으로 해결하지 못하는 것이 있다고 보기 때문에 가끔 미신 관련기사를 보는 편이다.	−1.17
	26. 나는 미신 관련기사가 확인이 안 된 꽤 긍정적인 부분이 있다고 생각한다.	−1.47
	14. 나는 평소에 고민거리가 있거나 답답한 마음을 달래기 위해서, 즉 심적 안정을 꾀하기 위해서 때때로 미신 관련기사를 읽는다.	−1.59
	28. 나는 미신 자체를 하나의 종교의 한 분야로서 인정했으면 하는 입장이므로 미신 관련기사에 대해서 호의적으로 생각한다.	−1.78

2. 각 유행간 차이 분석

3. 일치하는 항목 분석

제 4 부

나오면서

제1장 요약 및 결론

1. 서베이조사 및 문헌연구

본 저서는 매스미디어와 미신의 관계를 연구할 목적으로 문헌연구와 기술적 서베이(설문조사)를 중심으로 진행되었다.

연말연시가 되면 연례행사처럼 등장하는 미신, 점술, 역술 등과 관련된 행위자와 관련 서적 및 그 행태들이 날로 증대되고 있다. 이런 상황에서 일반 수용자들은 매스미디어에서 보도되는 미신 관련기사에 대해 어떻게 생각하고 있는지, 또한 그 실태는 어느 정도인지를 알아보는 데 본고의 주안점을 두어 살펴보고자 하였다.

이러한 연구목적을 실현하기 위해 다음과 같은 연구문제를 설정하였다.

매스미디어에 보도되는 미신 관련기사가 일반독자들에게 어떠한 영향을 미치고 있는가?

위의 내용을 구체적으로 서술하면 다음과 같다.

첫째, 우리나라의 매스미디어에 보도되는 미신에 관한 기사의 실태는 어떠한가?

둘째, 신문의 '오늘의 운세'란을 통한 일반대중들의 열독성과 신뢰도는 어느 정도인가?

이러한 연구문제에 따라 본고에서 연구된 내용을 요약하면 아래
와 같다.

첫 번째, 한국의 매스미디어에 보도되는 미신 관련 보도내용의
문헌연구를 각 매체별(신문, 방송, 잡지 등)로 살펴보았다.

두 번째, 한국과 미국의 미신에 관한 내용을 대표적인 몇 가지
분야로 나누어 알아보았다.

세 번째, 미신의 개념을 살펴보고, 매스미디어와 미신과의 관계
를 파악해 보았다.

네 번째, 현대사회에서의 매스미디어의 기능을 살펴보았다.

다섯 번째, 일간신문의 '오늘의 운세'란에 대한 수용자 의식조사
를 실시하여 그 내용을 분석하였다.

먼저, 우리나라의 매스미디어에 게재되는 미신에 관한 기사의
실태는 어떠한가?

위 문제에 대한 연구는 문헌연구를 통해서 이루어졌다.

연구주제에 합당한 이론적 배경으로서 '미신'의 개념과 역할, 매스미
디어상에서의 미신의 기능 등을 살펴보았고, 또한 한국의 미신을 8가
지 분야로 나누어서 개념과 그 원리를 중심으로 알아보았다. 이와 더
불어 미국에서 대중적 인기를 얻고 있는 10가지 분야의 미신적 행태

와 그 실상을 중심으로 조사되었다.

특히, 종합일간지와 주간 및 월간잡지, 그리고 방송매체에서 취급된 내용을 취합·정리하여 분석하였다.

두 번째, 신문의 '오늘의 운세'란을 통한 일반독자들의 열독성과 신뢰도는 어느 정도인가?

두 번째 연구문제에 대한 결과는 설문지 분석을 통하여 이루어졌는데, 설문조사에서 조사된 내용은 (1) '미신'에 관한 사항, (2) '오늘의 운세' 기사에 관한 사항, (3) '오늘의 운세' 기사와 관련된 사례에 관한 사항, (4) '미신'과 '오늘의 운세' 기사의 사회적 영향에 관한 사항, (5) 인구 사회학적 특성에 관한 사항 등으로 요약할 수 있다.

다음으로, 필자는 한국의 매스미디어에서 제공되는 미신 관련내용의 문헌연구와 '오늘의 운세'란에 대한 수용자 의식조사에 나타난 조사내용 및 분석결과를 제시하면 다음과 같다.

먼저 **빈도분석**에 대한 분석결과이다.

첫째, 미신에 관한 사항이다. 미신에 대한 관심도를 묻는 질문에 전체 300명 중에서 108명(36%)이 '관심이 약간 있다'라고 응답하였으며, 미신을 믿지 않는 이유에 대해서는 '불확실하기 때문에'(90명: 30%)라고 답변하였다. 미신을 긍정적으로 생각하는 이유에 대해서는 '인간의 힘으로 해결하지 못하는 것이 많아서'(106명: 35.3%)라는 의견을 보였다. 또한 점을 보거나 치러 가는 이유에 대해서는 '미래의 운명과 신수에 대한 궁금증으로'(131명: 43.7%), '답답하니까'(80명: 26.7%)라고 대답하였다. 그리고 미신을 접하는 경로에 관한 질문에는 '잡지', '주위의 사람들(친지, 친구, 기타)', '방송매체' 등을 우선적으로 꼽았다.

둘째, '오늘의 운세' 기사에 관한 사항이다. 중앙일보를 제외한 '오늘의 운세'를 다루는 신문을 구독하는 주 신문은 ≪조선일보≫(300명 중 54명: 18%)로 나타났으며, '오늘의 운세' 기사에 대해서는 '일정하지 않고 무언가 뚜렷한 관심사가 있을 때만 가끔 읽어 본다'(130명: 43.3%)고 답변하였고, 어느 정도 믿는가에 대해서는 '그저 그렇다'(146명: 45.3%)라는 의견을 보였다. 그리고 '오늘의 운세' 기사에 대한 심리적 효과에 관한 질문에는 '흥미나 호기심을 만족시켜 준다'(112명: 37.3%)는 분야에 '약간 그렇다'라고 응답하였다.

셋째, '오늘의 운세' 기사와 관련된 사례에 관한 사항이다. 긍정적인 운세풀이에 대해서 사람들은 '그래도 혹시나 한다'라고 147명(49%)이 응답하였고, 부정적인 운세풀이에 대해서는 '신경이 쓰인다'(145명: 48.3%)라고 답변하였다. 한편 운과 의지에 관한 가치관을 묻는 질문에는 '마음의 의지가 중요하다'(25명: 8.3%)라는 의견이 가장 많았다.

넷째, '미신'과 '오늘의 운세' 기사의 사회적 영향에 관한 사항이다. "운세 및 역술 관련 서적이나 참고자료를 읽어 본 적이 있는가?"는 질문에는 많은 사람들이 '없다'라고 답변하였다. 그리고 '미신'이나 '운세'에 관해서 듣거나 이야기해 본 적이 있는가는 질문에 사람들은 '가끔 있다'(196명: 65.3%)라는 의견을 보였다. 마지막으로, 매스미디어에 나타난 '미신' 관련내용의 사회적, 문화적 영향에 관한 질문에서는 많은 사람들이 '미신'에 대해서 올바른 인식이 필요하다(114명: 38%)는 의견을 내놓았다.

다섯째, 인구 사회학적 특성에 관한 사항이다. 연령별에서는 20대가 가장 많은 분포를 차지하였고, 학력별로는 중·고등학교 졸업한 응답자들이 가장 많았다. 직업별로는 학생(31%), 회사원(24.3%), 주부

(17.7%), 자영업(15%) 등의 순으로 나타났다.

다음으로 **교차분석**에 대한 분석결과이다.

첫째, 매스미디어에 보도되는 미신 관련내용에 대한 의존도에 관한 사항이다. 연령과 미신에 대한 관심도와의 관계에 있어서는 10대-50대의 경우에 '관심이 약간 있다'(108명)라는 의견이 많았으며, 또한 104명이 '그저 그렇다'라고 답변하였다. 또한 미신에 관한 신뢰도에 관한 질문에서는 연령에 있어서는 170명이 '약간 믿는다'라고 응답하였다.

둘째, 매스미디어 이용행태에 관한 사항이다. 연령에 따라 일간지의 '오늘의 운세' 기사를 얼마나 읽는가는 질문에 20대와 30대의 경우 '일정하지 않고 무언가 뚜렷한 관심사가 있을 때만 가끔 읽어 본다'라는 의견을 보였다.

셋째, 매스미디어에 대한 신뢰도에 관한 사항이다. '오늘의 운세' 기사에 대해서 연령별, 성별, 학력별에 따라 공통적으로 '그저 그렇다'라는 의견을 나타났다.

넷째, 사회에 대한 인식에 관한 사항이다. 성별에 따라 매스미디어에 나타난 '미신' 관련내용의 사회적·문화적 영향력의 관계에서는 '미신에 대한 올바른 인식이 필요하다', '잘 모르겠다', '대체로 바람직하지 못하다'라는 의견 순으로 나타났다.

이러한 조사결과를 통하여, 크게 두 가지의 결과를 얻을 수 있었다.

첫째, 매스미디어에 보도되는 미신 관련내용에 대한 의존도는 인구사회학적 특성에 따라 다음의 몇 가지 점에서 차이를 발견할 수 있었다. 즉 연령이나 학력별에 따라서는 대부분의 사람들이, 성별에서는 여성, 소득수준에서는 100만 원~200만 원 이하에서, 직업별에서는 학생들이 미신에 대해서 크게 관심을 가지고 있으며, 신뢰하는 것으로 드러났다.

둘째, 일반 독자들은 매스미디어에 보도되는 미신 관련내용, 즉 중앙일보의 '오늘의 운세'와 같은 기사들이 갖는 사회적 영향에 대해서는 대체로 부정적인 시각을 가지고 있었으며, 또한 이러한 분야에 대한 올바른 인식이 필요하다고 생각하였다.

결론적으로 매스미디어에서 보도되는 미신 관련내용 및 기사의 영향력은 긍정적인 면과 함께 부정적인 것도 있음을 직시할 수 있었다. 또한 본 연구에서 조사한 설문조사에서 나타난 바와 같이, 현재까지 각종 지면상에 게재되는 미신기사들은 일반 수용자들에게 긍정적인 영향을 주는 것은 결코 아니며, 이와 함께 미신에 대한 과학적이고도 합리적인 체계성이 잡혀야 함이 나타났다고 볼 수 있었다. 그러나 매스미디어(방송, 신문, 잡지, 기타 뉴미디어 등)는 일반대중들에게 미치는 영향을 무시하고 상업적 이익이나 흥미 위주의 방향으로 흐르고 있어 이에 대한 타당한 검토와 연구활동이 이루어져야 할 것으로 생각된다.

다시 말해서 단계적으로 학계의 연구활동과 관련 업계의 바람직한 방향 설정이 이루어진다면, 장래에는 '미신'에 대한 올바른 인식과 더불어 사회적 파급효과에 있어서도 긍정적인 측면들이 발생되리라고 본다.

끝으로 본 필자는 본고에서 다루어진 주제가 향후 21세기에 있어서 또 한번의 홍역을 방지하고 관련 연구의 활성화를 자극하는 방향으로 작용되어지길 기대한다.

2. Q방법론 연구

두 번째로, 신문의 미신 관련기사에 대한 일반대중들의 수용형태를 파악하기 위해서 Q방법론을 이용하였다. 이를 분석한 결과, 총 4가지의 유형으로 분류되었는데, 제1유형은 기능적 미신 긍정형(Functionally Superstition Affirmative Type), 제2유형은 이성적 미신 불신형 (Rationalistic Superstition Unbelief Type), 제3유형은 자기 주관적 미신 부정형(Self-subjective Superstition Unbelief Type), 제4유형은 이성적 미신 배척형(Rational Superstition Rejective Type)으로서, 각 유형마다 독특한 특징이 있는 것으로 파악되었다.

그 내용을 자세히 살펴보면, 제1유형은 신문의 미신 관련기사에 대해서 호의적인 반응을 보이면서 잔잔한 기쁨과 흥미를 누릴 수 있고, 또한 세상을 살아가는 데 도움이 될 만한 것이면 수용하려고 하는 '기능적 미신 긍정형'이라고 볼 수 있다. 제2유형은 신문의 미신 관련기사에 대해서 기본적으로는 믿고 있지는 않지만, 합리적인 사고방식의 관점에 의해 미신이나 미신 관련기사를 바라보고 추구하려는 '이성적 미신 불신형'이다. 제3유형은 신문의 미신 관련기사에 대해서 자신의 의지를 중심으로 운명을 개척하려고 하는 부류의 사람들과(어쩌다 한 번쯤 미신 관련기사를 접해 보는 경우도 있지만) 사회·정서적 차원에서 미신이나 미신 관련기사에 대해서 부정적으로 여기는 사람들이 이에 해당하는 '자기 주관적 미신 부정형'이다. 제4유형은 신문의 미신 관련기사나 미신에 관한 모든 내용들에 대해서 신뢰하지 않고 비판적이고 배척하는 태도를 지닌다고 보이는 '이성적 미신 배척형'으로 볼 수 있다.

이러한 유형별 사항들을 미신과 관련된 내용에서 그 성격과 특징을 종합해 보면, "(1) 긍정적이며 실리주의적이고 오락중심적이다. (2) 이

성적이고 인간중심적이다. (3) 부정적이면서도 현실개척적이고 이기주
의적이다. (4) 미신 불신·배척주의적이다."고 정리해 볼 수 있다.

　이와 함께 앞에서 열거한 연구문제는 신문의 '미신' 관련기사에 대
한 일반대중들의 인식이 과연 어떠한 유형들로 분류되며, 그 각각의
유형들 간에는 어떠한 차이점이 있는가 등이었다. 이를 위해서 본 연
구는 Q방법론을 통하여 신문의 미신 관련기사에 대한 주관적인 수용
형태를 살펴보았다. 인쇄매체에서 제시되는 미신 관련내용 및 기사들
에 대해서 일반대중들은 그러한 것들이 사회안정을 위협하거나 개인
의 정상적인 생활에 해를 끼치는 부정적인 결과를 초래하기도 하며,
또한 매스미디어가 사회 전체의 통합에 도움을 주며, 개인의 입장에서
보더라도 공통의 사회규범과 문화적 전통에 접촉하게 되어 쉽게 사회
에 적응할 수 있게 조장하기도 하지만, 오락물에 지나치게 몰입하다
보면 사람들은 사회적·정치적 문제에 대해 무관심해질 수 있다. 그리
고 사람들의 기분전환이나 휴식을 돕기도 한다는 측면에 공감하고 있
음을 알 수 있다. 결과적으로, 이는 현대사회에서 매스미디어의 여러
가지의 기능 가운데 오락적 기능의 부정적인 면이 크게 부각되면서,
그 보완 대책이 절실히 요구된다고 할 수 있다.

　또한 본 저서에서 지적된 바와 같이, 신문에서 게재되는 미신기사들
은 일반대중들에게 긍정적인 영향과 함께 부정적인 영향을 끼치고 있
고, 이에 따른 미신에 대한 과학적이고도 합리적인 체계성 확립의 필
요성이 제기된다.

　이 연구를 통해서, 차후의 연구자들은 인쇄매체를 대표하는 신문 등
의 대중매체가 일반대중들에게 미치는 영향을 도외시하거나 상업적
이익 혹은 흥미 위주의 방향에 대한 적절한 검토와 연구체계의 측면
으로 활성화되었으면 하는 바람이다.

제2장 연구의 한계점

본 저서를 집필하는 데 있어서의 한계점은 몇 가지 측면에서 고찰될 수 있었는데, 그 내용을 구체적으로 요약하면 아래와 같다.

첫째, 설문지 조사대상이 서울 지역에 주로 국한되어 있기 때문에 전국적인 현상으로 일반화시킬 수 없었다.

둘째, 설문지 문항 중 선다형과 주관식의 문항에서의 무응답과 오류에 대한 적절한 방안이 더 잘 이루어졌어야 했다.

셋째, 매스미디어와 미신에 관한 전문서적이 드물고, 이에 대한 체계성이 잡히지 않아 문헌연구의 깊이를 더하지 못하였다.

넷째, 매스미디어와 미신의 관계를 좀 더 폭넓게 다루지 못한 아쉬움이 따랐다.

마지막으로, 이와 관련하여 확대연구의 필요성과 과학적인 자료의 뒷받침과 신빙성 있는 체계적 제시 등을 차후의 연구자에게 제안하면서 끝을 맺을까 한다.

참고문헌

1. 국내문헌

강귀수. "한국의 巫". 공주사대논문집. 1976.12.

강유리(1993). "무속신화의 구연 특성 연구". 서강대학교 대학원 국어국문학과 석사학위논문.

경향신문. "세기말. 끝인가 시작인가". 1997.4.12.

경향신문. "옐친. 여자 점성술사에 국정 의존". 1996.12.14.

경향신문. "오늘의 운세". 1996.12.13.

구제영(1994). "한국무속의 세계관에 대한 분석과 이에 대한 선교의 대응책". 침례신학대 신학대학원 석사학위논문.

국민일보. "「무속신앙」 이대로 좋은가(현상진단과 대책)". 1996.1.20.

국민일보. "대중매체 : 선정·무속적 내용 판친다". 1995.3.27.

국민일보. "무속 열풍 〈점치는 사회〉". 1997.1.11.

국민일보. "무속인 모델 TV광고 "방영 불가". 1996.6.12.

국민일보. "미신 : 정치·행정·사법까지 점괘에 의존. 1995.12.28.

국민일보. "미신 조장하는 PC통신". 1996.11.4.

국민일보. "미신조장 TV프로 강력 항의". 1997.4.12.

국민일보. "요즘세상 : 귀신문화의 종말". 1997.4.12.

국민일보. "일부 언론 미신 '부채질' / 점술·예언기사·광고 잦아". 1995.11.16.

김광규 편. "민속문화연구의 신경지. 「한국신화와 무속연구」". 한가람. 1978.1.

김길곤(1977). "커뮤니케이션측면에서의 한국무속 연구". 서울대학교 대학원 석사학위논문.

김석길(1984). 『당신은 원숭이 자손인가 : 미신적 진화론 비판』. 홍익사.

김성배(1977). 『한국의 금기어 · 길조어』. 정음사.

김성헌(1995). 『현대인을 위한 역할 소프트』. 동학사.

김열규(1983). 『한국의 신화 · 민속 · 민담』. 정음사.

김열규. "한국신화와 무속". 월간조선. 1980.10.

김영권. "선전매개물연구. Radio · TV. 신문과 인쇄물사진 · 영화 · 미신과
    유언에 대하여 (下)". 정훈. 1980.10.

김영진. "한국의 무속. 한국사상의 맥 〈특집〉". 청대춘추. 1980.3.

김우룡 · 정인숙(1995). 『현대 매스 미디어의 이해』. 나남출판사.

김인회(1983). 『한국인의 가치관』. 문음사.

김인회(1993). 『한국무속사상연구』. 집문당.

김태곤(1991). 『한국의 무속』. 대원사.

김태곤(1995). 『한국무속연구』. 집문당.

김태곤. "무속과 한국인 〈특집〉". 청야. 1980.2.

김태곤. "무속의 강신현상". 신인간. 1984.5.

김태곤. "무속의 종교적 기능". 공간 91호. 1974.11.12.

김태곤. "한국무속의 원형 연구". 한국민속학. 1980.8.

김흥규(1990). "Q방법론의 이해와 적용: 광고연구를 중심으로". 서강대
    언론문화연구소. 〈언론학논선〉 7.

김흥규(1990). 『Q방법론의 이해와 적용』. 서강대 언론문화연구소.

김흥규(1996). "Q방법론의 유용성 연구". 〈주관성연구〉 : Q방법론 및 이
    론 제1호. 한국주관성연구학회.

김흥규(1996). "Q방법론의 유용성 연구". 〈주관성연구〉 창간호. 한국주관
    성연구학회.

김흥규(1999). "텔레비전 뉴스 개발을 위한 수용자 연구". 〈주관성 연구〉
    4호. 한국주관성연구학회.

뉴스피플. "역술인들이 본 1996년 國運과 세계정세". 1996. 1

대구교육대학총학생회 편. "무와 무속의 이해". 대구교대춘추. 1988.2.

대구교육대학총학생회 편. "한국의 민간신앙과 무속". 대구교대춘추.

1988.2.

대한매일. "젊을수록 '오늘의 운세' 더 본다". 2001.5.30.

동아일보. "미혼 남 16% 말띠 여자 싫어". 2001.12.19.

동아일보. "北청소년들 「운세보기」 유행". 1997.4.14.

동아일보. "사이버 철학관-문전성시". 1996.12.22.

동아일보. "오늘의 운세". 1997.4.11.

동아일보. "풍수로 본 매장과 화장". 1996.5.14.

민속학회 편(1989). 『무속신앙』. 교문사.

민족굿회 엮음(1993). 『민족과 굿』. 학민사.

박계홍 편저(1983). 『한국민속학개론』. 형설출판사.

박규홍. "근세 巫覡의 사회적 기능에 대하여". 한국민속학. 1971.

백용덕 · 김성수(1998). "Q-방법론의 연구 경향". 〈인하교육연구〉 제4호.
    인하대학교교육연구소.

비숍 저, 이인화 역(1994). 『한국과 그 이웃나라들』. 살림출판사.

상기숙. "巫占의 실태". 한국민속학 16. 1983.3.

서대석. "무속에 나타난 인간관". 한국문학. 1984.10.

서울대신문연구소 · 문화방송(1992). 『동북아지역에서의 방송질서 변화와
    대책』. 나남출판사.

세계일보. "北 김일성 사망 후 「점집」 성행". 1997.4.12.

세계일보. "인터넷 24시 : 종교정보". 1996.12.25.

세계일보. "TV도 '철학관' 운영하나. 1996.1.12.

스포츠서울. "오늘의 띠별 운세". 1996.12.30.

스포츠조선. "오늘의 육임 운세". 1996.8.26.

시사월간 WIN. "1. 무속인들이 보는 97大選 전망. 2. 대권주자 7인 신년
    운세". 1997.1.

시사월간 WIN. "역술가들이 내다 본 1996 丙子年". 1996.1.

안계춘 외(1988). 『현대사회학의 이해』. 법문사.

유문영 저, 하수삼 · 김창경 공역(1993). 『꿈의 철학 : 꿈의 미신. 꿈의 탐
    색』. 동문선.

윤란지(1978). "무속과 여성에 관한 일 연구 : 한국여성의 역할 및 지위
　　에 관련하여". 이화여자대학교 대학원 석사학위논문.

이건인(1996). "원불교 수행 Q-set의 개발과 그 타당화 연구". 인하대 대
　　학원. 박사학위논문.

이돈희. "미신과 우상. 낭설과 신화. 지식교육의 참뜻 〈특집〉". 교육춘추.
　　1977.10.

이동하. "「문제」의 세계와 「신비」의 세계". 문학사상. 1986.12.

이상일 외(1980). 『한국사상의 원천』. 박영사.

이상헌. "무당무속". 세대. 1968.4.

이성의(1990). "A Cultural Aspect of English Superstition: As Applied
　　to English as a Second Language". 한국외국어대학교 교육대학
　　원 석사학위논문.

이제영(1997). "매스 미디어와 미신에 관한 연구 : 중앙일보의 「오늘의 운
　　세」난을 중심으로". 한국외대 대학원 신문방송학과 석사학위논문.

이지영(1994). "한국신화의 신격 유래에 관한 연구". 서울대학교 대학원
　　박사학위논문.

이치성. "한국무속신앙의 현주소". 현대종교. 1982.11.

이한종(1996). 『풍수지리학』. 오성출판사.

일간스포츠. "주정성 오늘의 운세". 1996.8.21.

임동권. "迷信(한국·한국인 ⑧)". 월간중앙. 1974.6.

임석재 외. "무속과 한국인의 삶 〈좌담〉". 문학사상. 1983.12.

임재해·한양명 엮음(1996). 『한국민속사입문』. (주)지식산업사.

장기천. "기독교인의 미신적 사고 〈특집〉". 월간조선. 1982.9.

장주근. "한국민속신앙의 사회적 역할". 신동아 98호. 1972.10.

정진홍. "무속신앙의 현대적 조명 〈특집〉". 월간조선. 1983.6.

정창수. "주역의 사회학적 해석". 한국사회학. 1980.11.

정화영. "한국무속의 구조적 특질 〈특집〉". 광장. 1981.6.

조선일보. "재미로 보는 금주의 별점". 1996.9.1~9.7.

조선일보사 편. "미래를 투시하는 천의 눈. 세계저명학자·작가·점술가

들이 본 인류의 미래". 월간조선. 1982.3.

조성일(1996). 『조선민족의 민속세계』. 한국문화사.

조흥윤(1983). 『한국의 무(巫)』. 정음사.

조흥윤. "무(巫)는 종교현상 : 샤머니즘의 본질은 조화에 있다". 문학사
상. 1986.12.

주간매경. "역술가가 보는 96년 : 남북간 소소한 총격전·클린턴 재선".
매일경제신문사. 1996.1.

주간조선. "〈신년특집 : 새해운세풀이〉 1. 2". 조선일보사. 1997.1.

주간한국. "역학으로 본 96년 지구촌 운세". 한국일보사. 1996.1.

중앙일보. "경기침체 겹쳐 占星術 대호황". 1996.12.13.

중앙일보. "백운산 오늘의 운세". 1996.12.13.

중앙일보. "서양점도 가지가지". 1996.11.16.

중앙일보. "豫言보다는 豫測". 1996.1.16.

중앙일보. "UFO 熱風부는 미국 : 영화·방송 주요 소재… 종교차원 신
앙화". 1997.3.30.

중앙일보사. "월간 중앙 : 「미신」". 1974.6.

차배근(1992). 『매스커뮤니케이션 효과이론』. 나남출판사.

최길성(1981). 『한국의 무당』. 열화당.

최길성(1990). 『한국무속의 연구』. 아세아문화사.

최길성. "무속에 나타난 종교의식". 월간조선. 1980.10.

최길성. "미신타파에 대한 일 고찰". 한국민속학. 1974.

최길성. "한국 샤머니즘의 흐름". 대화. 1970.6.30.

최상수(1988). 『한국 민속문화의 연구』. 성문각(倫).

최정호·강현두·오택섭(1996). 『매스 미디어와 사회』. 나남출판사.

최주렬(1986). "한국무속의 인신 신앙 연구". 연세대학교 교육대학원 석
사학위논문.

최중두(1983). 『풍수지리학원론』. 불교출판사.

최창무. "미신과 우상숭배 : 경신례(敬神禮)". 광주카톨교대 신학전망.
1988.3.

편집부 엮음(1990). 『당신에게도 유령은 나타난다』. 도서출판 이성과 현실.

편집부 편(1991). 『한국의 귀신』. 보성출판사.

한겨레21. "〈특집Ⅱ〉 1. 역술인이 보는 1997년. 2. 별자리에 나타난 1997
    년. 3. 역술이 세계를 지배한다". 한겨레신문사. 1997.1.

한겨레신문. "줄리어스력 등장뒤 점성술 유행". 1996.3.11.

한국언론학회 편(1994). 『언론학원론』. 범우사.

한국일보. "[인터넷 세상] 토정비결". 2001.1.3.

한국일보. "김동길 : 너무 뒷걸음질 할 수는 없다". 1984.2.2.

한국일보. "佛선 심령-점성술등 呪術업종 번창". 1996.5.20.

한국정신문화연구원(1983). 『한국의 전통교육사상』.

한국종교사회연구소 편(1991). 『한국 종교문화사전』. 집문당.

한성각(1990). "무속에 관한 독립신문의 사회교육적 견해에 대한 연구".
    연세대학교 교육대학원 석사학위논문.

한인환(1978). 『쉽게 체험할 수 있는 심령과학』. 성광문화사.

현용준. "무속신화의 사회적 기능". 한국민속학. 1990.9.

홍정선. "샤머니즘의 세계는 단순한 소재이다". 문학사상. 1986.12.

황루시(1988). 『한국인의 굿과 무당』. 문음사.

황준연(1992). 『한국사상의 이해』. 박영사.

FEEL. "점은 미신인가. 아닌가". 조선일보사. 1996.2.

Gary Jennings 저·외문기획 역(1991). 『엉뚱한 과학사 : 마법. 점성술.
    연금술. 요정. 괴물의 역사』. 한울림.

Herbert B. Green house 저, 김봉주 역(1986). 『심령과학 입문』. 송산출판사.

Inside The World. "띠별로 보는 1996년 운세". 1996.1.

John Hogue 저, 조경철 역(1992). 『노스트라다무스의 1000년 예언』. 대광
    문화사.

Kurt Koch 저, 이중환 역(1983). 『악령론 : 악령의 이론과 실제』.

S·홀로이드 편저, 안도섭 옮김(1993). 『텔레파디와 염력』. 도서출판 조선
    문화사.

2. 국외문헌

Brown. S.(1980). Political Subjectivity: Applications of Q Methodology. New Haven: Yale University Press.

Brown. S.. D. During and S. Selden(1999). Q Methodology. In G. Miller and M. Whicker. eds.. Handbook of Research Methods in Public Administration. New York: Marcel Dekker.

Curtis D. MacDougall(1983). "Superstition and the Press". Prometheus Books.

Dryzek. J.(1990). Discursive Democracy. Cambridge: Cambridge University Press.

Hole, Christian(1975). "Encyclopedia of Superstitions". London : The Anchor Press Ltd..

Iona Opie & Moiratatem(1989). "A Dictionary of Superstitions". Oxford New York: Oxford University Press.

Jolanta Tubielewicz(1980). "Superstitions Magic and Mantic Practices in the Heian Period". Warszawa.

Kerlinger(1986). Foundations of Behavioral Research. 3rd ed. New York: Holt. Rinehart and Winston.

Mckeown. R. & Thomas. D.(1988). Q methodology. Newbury Park. CA: SAGE..

Merriam Webster(1980). "Webster's New Collegiate Dictionary". U.S.A : G and C Merriam Co..

Stephenson. W.(1953). The Study of Behavior : Q Technique & its Methodology. Chicago : Univ. of Chicago Press.

3. 기타자료

KBS영상사업단 비디오 자료. 1995.

MBC프로덕션 비디오 자료. 1996.

SBS프로덕션 비디오 자료. 1996.

대세계대백과사전 제12권. 서울: 태극출판사. 1973·1992.

세계대백과사전 제19권. 동아일보 外. 1993.

학원 세계대백과사전 제11권. 학원출판사. 1993.

한국 세계대백과사전 제10권. 동서문화. 1995.

부 록

1. R설문지

안녕하십니까?

최근에 우리나라에서는 미신과 관련된 기사가 소개되는 매스미디어를 손쉽게 접할 수 있습니다. 그중에서도 매일 접할 수 있는 신문의 '오늘의 운세'란 등은 많은 신문구독자들에게 애독되고 있습니다. 이에 **매스미디어와 미신의 관계를 알아보기 위하여 일간신문의 구독자를 대상으로 '오늘의 운세'란에 대한 수용자 평가조사를** 실시하고자 합니다.

본 설문지 조사는 학문적인 목적으로만 사용되며, 귀하의 솔직한 답변은 보다 효율적이고 과학적인 연구를 하는 데 커다란 도움이 될 것입니다.

Ⅰ. 다음은 **'미신'에 대한 일반적인 질문**입니다. 해당되는 번호를 골라 괄호 안에 적어주십시오.

■ 미신(迷信: superstition)

점술(占術)이나 유령의 관념 등, 조직되지 않은 단편적인 신앙을 속신(俗信: vulgar belief)이라고 부르며 일반적으로는 이러한 속신 가운데에서 사회생활에 실제로 해가 된다고 여겨지는 것을 미신이라고 부른다. 다만 판단의 기준은 사회통념에 의한 것으로서 시대나 지역에 따라 달라진다. 즉 조직적 종교에서와 같은 교리·신조가 없으며 아무런 과학적 근거도 없는 불합리하고 허황된 것을 믿는 일을 가리킨다.

---

1. 귀하께서는 미신에 대해서 어떻게 생각하십니까? (   )
① 관심이 매우 많다
② 관심이 약간 있다
③ 그저 그렇다
④ 관심이 별로 없다
⑤ 관심이 전혀 없다
⑥ 기타

2. 귀하께서는 미신을 믿습니까? (   )
① 전적으로 믿는다
② 약간 믿는다
③ 전혀 믿지 않는다

3. 귀하께서 미신에 대해서 믿지 않는다면 그 이유는 무엇입니까? (   )
① 관심이 없기 때문에
② 미래보다는 현재에 충실하고 싶어서
③ 불확실하기 때문에
④ 별다른 이유가 없다
⑤ 기타 (   )

4. 귀하께서 미신에 대해서 긍정적으로 생각하신다면 그 이유는 무엇이라고 생각하십니까? (   )
① 원래 관심이 많기 때문에
② 미래를 알고 싶어서
③ 인간의 힘으로 해결하지 못하는 것이 많아서

④ 별다른 이유가 없다

⑤ 기타 (   )

5. 귀하께서는 점(占)을 보거나 치러 가십니까? (   )

① 자주 본다

② 가끔 본다

③ 전혀 보지 않는다

④ 가족 중에 가끔 가는 사람이 있다

6. 만일 귀하께서 점(占)을 보거나 치러 가신다면, 그 이유는 무엇입니까? 2가지만 골라 그 번호를 적어 주십시오. (,   )

① 미래의 운명과 신수에 대한 궁금증으로

② 의약치료가 불가능하니 최후의 수단으로

③ 답답하니까(고민, 불안)

④ 우환, 가정불화 때문에

⑤ 자녀문제 때문에

⑥ 마음의 의지로

⑦ 기타 (   )

7. 귀하께서는 주로 어느 경로를 통해 '미신'에 대한 정보를 접하십니까? 해당되는 항목을 골라 모두 적어 주십시오.(   )

■ 여기에서의 '미신'은 ① 풍수지리 ② 관상 ③ 사주팔자 ④ 점 ⑤ 점성술 ⑥ 굿 ⑦ 수상 ⑧ 기원 ⑨ 예언 등과 관련된 것을 의미합니다.

① 잡지

② 책

③ 신문

④ 역술가(점술가)

⑤ 주위의 사람들(친지, 친구, 기타 등등)

⑥ 방송매체(TV와 라디오)

⑦ 기타 (　　)

Ⅱ. 다음은 '**오늘의 운세**' **기사에 관한 질문**입니다. 해당되는 번호를 골라 괄호 안에 적어주십시오.

1. '오늘의 운세'란 기사를 다루는 일간신문은 ≪중앙일보≫, ≪조선일보≫, ≪경향신문≫, ≪스포츠서울≫, ≪일간스포츠≫, ≪스포츠조선≫입니다. 이 중에서 귀하께서는 중앙일보 이외에 구독하시는 것이 있습니까? (　　)

① 경향신문

② 조선일보

③ 일간스포츠

④ 스포츠서울

⑤ 스포츠조선

⑥ 없다

2. 귀하께서는 보통 신문을 보는 데 얼마만큼의 시간을 할애하십니까? (　　)

① 10분 이하

② 10분~30분 미만

③ 30분~60분 미만

④ 60분 이상

2-1. 귀하께서는 여러 기사들 중에서 '오늘의 운세' 기사를 얼마나
자주 읽어봅니까? (   )
① 일정하지 않고 무언가 뚜렷한 관심사가 있을 때만 가끔 읽어 본다
② 매일 읽어 본다
③ 거의 읽어 보지 않는다

3. 귀하께서는 '오늘의 운세'란의 내용을 얼마만큼이나 믿으십니까? (   )
① 거의 대부분 믿는다
② 대체로 믿는다
③ 그저 그렇다
④ 대체로 믿지 않는다
⑤ 거의 믿지 않는다

4. 다음 사항은 '오늘의 운세'란을 읽었을 때 어떤 심적인 효과가 있
는지를 알아보고자 합니다. 각 사항 중에서 그 정도에 따라 번호를 적
어주십시오.
[보기]
① 매우 그렇다   ② 약간 그렇다   ③ 별로 그렇지 않다
④ 전혀 그렇지 않다   ⑤ 잘 모르겠다

(1) 마음의 안정을 얻는다   (   )
(2) 교양과 인격을 넓혀준다   (   )
(3) 흥미나 호기심을 만족시켜준다 (   )

Ⅱ-1. 다음은 '**오늘의 운세**'란과 **관련된 사례에 대한 질문**입니다. 해당되는 번호를 골라 괄호 안에 적어 주십시오.

1. 귀하께서는 "오늘 당신은 귀인을 만나거나, 횡재를 할 것입니다." 라는 운세 풀이를 보면서 어떤 생각을 하십니까? (   )
① 기대한다
② 무심히 지나친다
③ 그래도 '혹시나' 한다

2. 만일 오늘의 운세가 "'차', '먼 길' 등을 피하라. 혹은 오늘 큰 사고를 당할 것입니다."라고 풀이되어 있다면, 귀하께서는 어떤 생각을 하십니까? (   )
① 삼가한다
② 신경이 쓰인다
③ 무시한다
④ 모르겠다
⑤ 기타 (   )

3. 귀하께서는 '오늘의 운세'기사처럼 운과 연관된 기사와 그렇지 않은 기사들[예: '바둑' 기사, '외국어교실' 기사]을 접할 때, "만물의 영장인 인간이 왜 운에 매달릴까?"라는 의문에 대한 귀하의 생각은?
(   )

3-1. 만일 그렇다면 운과 의지 가운데 어느 것을 더 중시하느냐에 따라 달라지는 가치관에 대해 귀하께서는 어떻게 생각하십니까? 구체적으로 적어 주십시오.

(   )

Ⅲ. 다음은 '미신'과 '오늘의 운세' 기사가 미치는 사회적 영향력에 대한 질문입니다. 해당되는 번호를 골라 괄호 안에 적어주십시오.

1. 귀하께서는 '운세'나 '역술'의 내용을 실은 전문서적 및 참고자료를 읽어 본 적이 있으십니까? (   )
① 있다
② 없다

2. 귀하께서는 최근에 주위사람들과 '미신'이나 '운세'에 대한 이야기를 하시거나 들어 본 적이 있으십니까? (   )
① 전혀 없다
② 가끔 있다
③ 자주 있다

3. 귀하께서는 매스미디어에서 취급하는 '미신 관련내용'이 사회적·문화적으로 어떠한 영향을 미치고 있다고 보십니까? (   )
① 부정적인 영향을 미친다고 본다
② 대체로 바람직하지 못하다
③ 바람직하다고 본다
④ '미신'에 대한 올바른 인식이 필요하다

⑤ 잘 모르겠다

⑥ 기타 (※구체적으로 적어 주십시오.)

(   )

Ⅳ. 다음은 **귀하의 신상에 관한 질문**입니다. 해당되는 번호를 골라
괄호 안에 적어주십시오.

1. 귀하의 나이는? (   )

① 10대

② 20대

③ 30대

④ 40대

⑤ 50대

⑥ 60대 이상

2. 귀하의 성별은? (   )

① 남

② 여

3. 귀하의 학력은? (   )

① 초등학교 졸업(중퇴 포함)

② 중·고등학교 졸업

③ 대학교(전문대 포함) 졸업

④ 대학원 재학이나 졸업 이상

4. 귀하의 직업은? (   )

① 학생

② 회사원

③ 자영업

④ 주부

⑤ 공무원

⑥ 종교인

⑦ 교사

⑧ 대학교수/변호사/회계사

⑨ 은행원 및 금융업

⑩ 기타 (   )

5. 귀하의 결혼관계는? (   )

① 미혼

② 기혼

6. 귀하의 종교는? (   )

① 기독교

② 천주교

③ 불교

④ 기타

⑤ 없다

7. 귀하의 소득은 어느 정도인지요? (   )

① 100만 원 이하

② 100~200만 원

③ 200~300만 원

④ 300만 원 이상

⑤ 기타

◆ 귀하께서 위 설문에 대한 건의사항이 있으시면 아래의 공란에 적어 주십시오.

(   )

지금까지 설문에 응해주셔서 대단히 감사합니다.
귀하께서 작성하신 설문지는
학술적인 목적으로 활용될 것을
약속드리면서, 귀하의 앞날에
행운이 깃들기를 기원하는 바입니다.

2. R코딩 자료

• 코딩틀(Coding frame)

〈변인〉	〈코드〉	〈칼럼〉
ID	001 – 300	1, 2, 3

I. '미신'에 관한 사항

		【4: Blank】
1.	01 – 06	5
2.	01 – 03	6
3.	01 – 09	7
4.	01 – 09	8
5.	01 – 04	9
6.	01 – 17	10, 11, 12, 13
7.	01 – 10	14, 15, 16, 17, 18, 19, 20, 21, 22, 23

II. '오늘의 운세' 기사에 관한 사항

		【24: Blank】
1.	01 – 06	25
2.	01 – 04	26
2 – 1.	01 – 03	27
3.	01 – 05	28
4 – (1)	01 – 05	29

4 - (2)   01 - 05   30

4 - (3)   01 - 05   31

Ⅱ-1. '오늘의 운세'란과 관련된 사례에 관한 사항

【32: Blank】

1.   01 - 03   33

2.   01 - 09   34

3.   01 - 51   35, 36

3 - 1.   01 - 57   37, 38

Ⅲ. '미신'과 '오늘의 운세' 기사가 미치는 영향에 관한 사항

【39: Blank】

1.   01 - 02   40

2.   01 - 03   41

3.   01 - 16   42, 43

Ⅳ. 개인의 신상에 관한 사항

【44: Blank】

1.   01 - 06   45

2.   01 - 02   46

3.   01 - 04   47

4.   01 - 20   48, 49

5.   01 - 02   50

6.   01 - 05   51

7.   01 - 05   52

3. 한국의 매스미디어에 보도되는 미신 관련 자료

1) 일간지

'백운산 오늘의 운세'(중앙일보)

1996년 12월 13일(음력 11월 3일 현재) 〈(社)한국역리학회 부회장〉

쥐띠	36년, 48년생 사업가는 명예와 재운이 가득하니 가는 곳마다 대환영 받네. 60년생 공직자나 직장인은 투자나 문서에 큰 이익 있다.
소띠	37년생, 49년생 사업가는 금전 운세가 막히니 이러지도 저러지도 못하는군요. 매사에 막힘만 있으니 어이할꼬. 61년생 직장인은 구설수나 동료와 다툴 우려 있다.
범띠	50년생 상인은 마음 비우고 현재에 만족하고 전념한다면 행운과 복이 가득할 때. 62년, 74년생 공직자나 직장인은 남쪽이나 서쪽에 변동수 예고된다.
토끼띠	39년생 남성은 모든 일에 만사가 불통되는 시기. 51년생 상인은 갈수록 난관 재난수나 구설수에 신경 쓰일 듯. 금전관리 철저히 할 때.
용띠	28년생, 40년생은 만경창파에 순풍에 돛달고 순항합니다. 52년생 사업가는 쌓인 눈 녹고 새싹이 돋는 희망찬 시기다. 64년생 남녀는 일생 반려자 만날 시기.
뱀띠	29년생은 모든 것을 정리하고 편히 쉬면서 한가롭게 풍악을 듣는다. 53년, 41년생 사업가는 부진하던 사업 정리되며 어렵던 금전고통 해결.
말띠	30년생, 42년생은 갈 길이 막혔으니 어려움 따를 시기. 54년생 공직자나 직장인은 모임에서 새 귀인 만난다. 66년생 여성은 계획했던 모든 일 뜻대로 이룬다.
양띠	31년생, 43년생은 모든 일이 뜻대로 되지 않으니 자중하는 것이 방책. 55년생 공직자는 비가 순하고 바람 잔잔하니 승진이나 자리 이동수 있는 시기.
원숭이띠	68년생 미혼여성은 음양이 상충하니 사랑하던 사람과 다툼 암시. 44년생 사업가는 캄캄한 밤에 천둥소리만 요란하니 동서남북을 헤아릴 수 없다.

닭띠	45년생 사업가는 막막한 사막에서 오아시스를 만난 격. 부도 일보 직전 돼지띠나 소띠의 도움으로 어려움 해결된다.
개띠	34년, 46년생 사업가는 구름만 있고 비가 안 오니 마음만 답답하다. 기다리던 소식이 늦어지고 계약이나 문서에 하자 생긴다.
돼지띠	35년생, 47년생 사업가는 큰 돈이 들어오며 기쁜 소식 있다. 59년생 공직자는 원하고 믿던 일이 타인에게 월계관이 돌아갈 때.

'오늘의 운세'(동아일보)

1997년 4월 11일(음력 3월 5일) 현재, 윤태현(청금역학원장)

子	욕심 부릴 필요는 없다. 일은 잘 풀리게 돼 있다. 72년생은 눈앞의 이익보다 장래를 생각하라. 60년생은 재산을 활용할 기회가 생김. 48년생은 금전의 압박을 받을 우려 있으나 잘 풀린다.
丑	여유를 갖고 침착하게만 대처하면 일은 잘 풀린다. 73년생은 정신적으로 도움을 주는 이가 생긴다. 61년생은 신상품을 개발할 수 있는 좋은 날. 49년생은 실질적인 이득을 도모하는 날이다.
寅	마음가짐을 편히 하면 일이 잘 풀린다. 74년생은 업무관계로 사람들을 만나 일이 해결된다. 62년생은 일이 수월하고 협조자도 얻게 된다. 50년생은 자녀의 교육을 위해 투자할 수 있는 날.
卯	성과를 기대할 수 있는 날. 75년생은 믿는 도끼에 발등 찍힐 우려 있으나 과감하게 추진하라. 63년생은 심신이 불안하고 오해받을 일이 생기나 해결된다. 51년생은 순조로운 출발이 예상된다.
辰	기대한 만큼은 일이 이뤄진다. 76년생은 일이 쉽게 성사된다. 64년생은 내 주장을 펴기보다는 들어주는 입장에서 일해야 오히려 잘 풀린다. 52년생은 금전의 지출도 어느 정도 감수해야 한다.
巳	돈을 지불했으면 대가를 얻게 돼 있다. 65년생은 누명을 벗고 나서 일이 더욱 잘 풀린다. 53년생은 한 발짝만 양보해서 우애를 돈독히 하라. 41년생은 중책을 맡아도 원만하게 해결할 수 있다.
午	남들이 하는 것을 지켜본 후에 처신하는 편이 안전하다. 66년생은 손해와 배신으로 좋지 않을 수. 54년생은 문서상의 이득을 위해 경쟁하게 된다. 42년생은 과중한 업무로 시달릴 수 있다.

未	매사에 적극성을 보이면 일이 잘 풀린다. 67년생은 웃어른에게 자문해 일하면 잘 풀리게 된다. 55년생은 금전손실보다는 인간적 배신감이 더 아플 수도 있다. 43년생은 망설이면 안 된다.
申	타인에게 피해를 주지 마라. 68년생은 금전적인 면에서 다툼이 있으나 결국 이기게 된다. 56년생은 짜증나고 의욕이 떨어지나 승부수는 유리하다. 44년생은 내가 좋으면 희생자가 있게 마련.
酉	건강을 먼저 생각하라. 69년생은 업무관계로 오해사지 않도록 하라. 57년생은 평소에 어려웠던 일이 의외로 잘 풀려나가지만 그만큼 피곤해진다. 45년생은 컨디션이 나쁘면 기분전환부터 하라.
戌	타인을 위해 있는 날이라고 생각하라. 70년생은 소개나 중개로 수익이 증가하나 반드시 대가를 지불하라. 58년생은 운세가 좋은 편. 꾸준히 밀고 나가라. 46년생은 베풀 수 있으니 행복하다.
亥	건강과 교통문제에 주의하라. 71년생은 열심히 일한 만큼 수입이 있으나 피곤할 수 있다. 59년생은 노력한 이상으로 성과를 올리게 된다. 47년생은 생각지도 않은 곳을 가게 될 일이 생긴다.

'오늘의 운세'(경향신문)

1996년 12월 13일 현재(오재학 · 김자중)

쥐띠	도전 정신으로 임하는 것은 좋지만 전후를 고려해서 나가도록. 운세지수 82%. 36 · 48년생 유사시에 필요한 준비를 갖추어 놓도록. 60 · 72년생 세상을 내 것으로 만들려면 세상을 사랑하라.
소띠	신면으로 전환하여 의욕이 배가되지만 느슨해지지 않도록 노력하라. 운세지수 90%. 25 · 37년생 죽기 아니면 까무러치기. 승부를 걸어라. 61 · 73년생 권리주장은 의무를 이행한 다음에.
범띠	분쟁이 발생하면 혼자 해결하지 말라. 윗사람의 의견에 따르도록. 운세지수 73%. 38 · 50년생 지식보다는 지혜를 필요로 할 때. 62 · 74년생 울며 겨자 먹기 격이라도 성심껏.
토끼띠	내부 보충에 힘을 기울이라. 작은 결함이라고 방치하면 힘에 겨운 일이 된다. 운세지수 55%. 27 · 39년생 4주변을 잘 탐색하라. 찾을 자리가 있다. 63 · 75년생 게으름이 문제. 당면한 일은 그때그때 처리하라.

용띠	기분이 고양되어 천박하게 행동하기 쉽다. 반발을 사니 주의할 것. 운세지수 62%. 28·40년생 일단 쉬고 내일 일을 준비하라. 64·76년생 마음이 들뜨기 쉬운 날. 언행을 자제하라.
뱀띠	독단, 독행하지 말고 주위와 협력체제를 취하라. 자랑하지 말 것. 운세지수 85%. 41·53년생 주장만 하기보다는 듣는 자세를 견지하도록. 65·77년생 사람이 미운 것은 대부분 자기 욕심 때문.
말띠	모험심 때문에 자칫 무리한 일에 관여하기 쉽다. 일은 생각대로 움직이지 않는다. 운세지수 44%. 42·54년생 명분보다는 실리를 추구하라. 66·78년생 자신의 그릇 크기를 가늠해 볼 것.
양띠	재치를 발휘하여 어려움을 넘긴다. 노력한 만큼 수확이 오르는 날. 운세지수 96%. 31·43년생 앓던 이가 빠진 것 같은 시원한 기분. 67·79년생 껄껄 웃어넘기는 자에게 복이 있으리니.
원숭이띠	좋은 친구가 생겨 사회면이 활성화된다. 욕심에 매이지 말고 대화하라. 운세지수 88%. 32·44년생 자신의 인간적인 면모를 여과 없이 드러내라. 68·80년생 만나는 사람에게 밝은 인상을 남기도록.
닭띠	착실한 노력의 반복만이 가장 가까운 길이다. 유혹에 넘어가지 말 것. 운세지수 74%. 21·33년생 용머리에 뱀꼬리는 절대 금물. 57·69년생 대충 넘겨짚지 말고 꼼꼼하게 생각의 정리를.
개띠	익숙하다고 방심하면 큰 문제가 된다. 신중함이 필요한 날. 운세지수 47%. 34·46년생 남을 판단하기 전에 우선 자신을 되돌아보라. 58·70년생 만만해 보이는 것일수록 긴장하라.
돼지띠	고독감을 느끼는 것은 제멋대로이기 때문. 주변과 보조를 맞추도록. 운세지수 50%. 23·35년생 남의 의견을 존중하면 얻는 바가 있다. 59·71년생 따돌림을 당하는 것은 자신이 백조이기 때문.

'재미로 보는 금주의 별점'(조선일보)

http://www.bubble.com/webstars/

(양력생일 기준: 1996년 9월 1일 - 9월 7일)

양자리(3월21일~4월20일생)
즐거운 일 못지않게 긴장의 순간이 기다리고 있다. 여유를 계속 가지면 문제없다. 성공과 실패 그 둘 중 하나에 지나치게 집착하지 말 것.

황소자리(4월21일~5월21일생)
가까운 이에 대해 세심하게 배려하고 위안을 주려고 노력하면 상황이 호전된다. 타인의 부정적인 시각에 영향받지 않도록 할 것. 스스로의 능력에 대한 믿음이 그 어느 때보다 중요하다.

쌍둥이자리(5월22일~6월22일생)
모든 일이 뜻대로 되지 않을 때가 있는 법. 이 시기에 처하면 최악을 예상하며 긴장하기보다 자연스럽게 시간이 흐르도록 내버려두는 것이 최상이다. 지나친 기대나 실망은 금물.

게자리(6월23일~7월23일생)
인간관계에 갈등이 있다. 이유 없는 죄책감은 필요 없다. 타인에게 이용당하지 않도록 주의할 것. 이번 주가 지날 때쯤이면 상황이 호전된다.

사자자리(7월24일~8월23일생)
손대는 일마다 실패하는 느낌이 든다. 모종의 변화를 시도해 볼 필요가 있다. 섣불리 움직이지 말고 때를 기다릴 줄 아는 지혜가 요구된다.

처녀자리(8월24일~9월23일생)
새 출발을 하듯 연말까지 승승장구할 전망. 시작은 했으나 마무리하지 못한 일을 해결하게 된다. 계류 중인 일들이 처리되고 나면 즐거움과 중요한 영감이 가득 찬 나날이 기다린다.

천칭자리(9월24~10월23일생)
스스로에 대한 편견을 버리는 것이 중요하다. 중대한 선택의 순간 앞에 우유부단하면 아무 일도 못한다. 타인의 말에 귀 기울이기보다 자신에 대한 확신을 갖고 현명한 결정을 내릴 때.

전갈자리(10월24~11월22일생)
오랫동안 기다려온 변화가 서서히 일어나기 시작한다. 동시에 실현 가능한 더 큰 꿈들도 보인다. 원하는 바 모두를 성취할 수는 없지만 이전보다 발전된 길 위에 들어선다.

사수자리(11월23일~12월21일생)	
평소보다 적극적이고 외향적으로 행동할 것. 모든 일에 자신 있게 대처하면 성공적인 주간이 된다.	
염소자리(12월22일~1월20일생)	
단 한 번뿐인 인생을 어떻게 꾸려나갈 것인지 생각할 때. 단지 소속감을 갖기 위해 의심의 여지가 있는 일에 관여하지 말 것. 의무감으로 하지 말고 모든 일을 성의껏 추진하라.	
물병자리(1월21일~2월19일생)	
점차 상황이 호전된다. 지금까지 자신을 괴롭히던 혼돈스런 상황이 명확하게 정리된다. 결과에 대해 지나치게 기대하지 말 것. 필요 이상의 감정 소모는 금물.	
물고기자리(2월20일~3월20일생)	
현재의 상황을 즐길 것. 몇 가지 시도를 해볼 만하다. 단 스스로 감당할 수 있는 범위 내에서 시도할 것. 현재의 운과 기회는 최상이다.	

'오늘의 띠별 운세'(스포츠서울)

박용운(미래연구원 원장: 780-2800)-1996년 12월 30일 현재

쥐	72년생 귀인의 도움으로 업무 일을 성취하니 상사한테 칭찬 받겠다. 60년생 무리한 육체운동이 건강을 망치는 심한 운동을 자제하라. 36년생 나의 말만 옳다고 생각 말고 다른 이의 의견에 귀 기울여라.	말	66년생 모함당했다고 싸우지 마라. 잘 대처하면 해결수가 보인다. 54년생 음식점 경영하는 이는 오늘 매상이 오르지 않으니 속상하겠다. 42년생 바라던 일이 약간 지연되겠으나 곧 풀어지겠다.
소	73년생 가까이 있는 이는 목돈을 주는구나. 좋은 일에 쓰겠다. 61년생 여행을 가려거든 부부동반으로 해외로 나가라. 49년생 아랫사람이 도움을 주려고 하니 사심 없이 받는 게 좋겠다.	양	67년생 물과의 운이 좋으니 여행 가려거든 바다나 강으로 가라. 55년생 갑자기 이사할 일이 생기겠구나. 43년생 재운이 있으니 열심히 뛰어다니며 많은 수입이 오르겠다.

범	74년생 부모님의 기력이 쇠하여지니 부모님의 건강 살펴봐라 62년생 내 것을 아낌없이 주니 훗날 큰 도움을 받겠다. 베풀어라. 50년생 결재를 미루니 신용이 떨어지는구나. 힘들더라도 오늘 결재해라.	원숭이	68년생 시비에 휘말리면 손재수까지 있으니 행동 자제하라. 56년생 지금은 때가 아니니 승진에 기회가 없더라도 서운해 하지 마라. 44년생 싸움이 편안해지니 생활이 안정되겠구나.
토끼	75년생 감정의 기복이 심하니 매사 일에 진전이 없구나. 마음 안정하라. 63년생 횡재수만 기다리면서 일에 손놓고 있지 마라. 39년생 젊은 여자와 다툴 수가 있구나. 인내심을 가져야겠다.	닭	69년생 자신의 욕심 때문에 우정이 흔들리니 친구와의 관계회복에 힘써라. 57년생 가정에 불화가 있으니 형제와 다툼수가 있겠구나. 45년생 최선을 다했으니 목표에 미달되었다고 자책하지 마라.
용	76년생 친구와 의기투합하니 계획했던 일이 성공하겠다. 64년생 시간은 금이다. 공상만 하지 말고 행동을 앞세워라. 52년생 동쪽에서 운이 나쁘게 들어오니 낙마수 조심하라.	개	70년생 기관지에 이상이 있으므로 찬 바람은 쐬지 마라. 58년생 서쪽으로 가면 재물을 얻겠으니 서쪽으로 가봐라. 46년생 주위에서 감정을 상하게 하니 하오에는 홀로 지내는 게 좋겠다.
뱀	77년생 더 하자니 힘이 들겠고 그만두자니 서운하겠구나. 한 번 더 시도하라. 65년생 회식이 크게 벌어지니 유쾌한 하오를 보내겠구나. 53년생 집안에 안 좋은 일이 생기니 금전이 나가겠다.	돼지	71년생 이성에 마음이 흔들리니 일에 집중을 못하는구나. 마음 다잡아라. 59년생 재운이 안 좋으니 수입은 기대하지 않는 게 좋겠다. 47년생 자신도 모르는 새 원망의 소리가 있으니 귀 기울여라.

'주정성 오늘의 운세'(일간스포츠)

1996년 8월 21일(음력 7월 8일) 현재/(사랑의 대화터 옹달샘 소장)

문의전화: 322-5275

쥐띠	종합○ 금전○ 애정△ 건강○ 사업△ 지금은 답답해 모든 일이 늦어지는 것 같으나 2·5·6·8월생 하고 있는 일은 그대로 밀고 나갈 것. 동업은 불리하고 혼자서 하는 일은 풀리는 운이니 희망을 가져라. ㄱ·ㅈ·ㅊ 성씨 자신만이 미래에 빛이 보이는 격이다.
소띠	종합○ 금전× 애정△ 건강○ 사업○ 필요 이상으로 참견하는 것은 자신에게 손해가 오겠으니 주의하라. 계획과 꿈은 산만큼 크지만 행하는 일은 작아지는 격. 2·8·11월생은 5·6·12월생을 잡으려면 분명히 잡을 것. 남·서쪽 일이 지연되는 격이니 쉽게 풀릴 수.
범띠	종합○ 금전○ 애정△ 건강○ 사업× 쥐·닭·토끼·범띠가 소리 없이 멀어지고 또는 가까이 온다고 슬퍼하지도 좋아하지도 말 것. 아직은 생각도 못할 때이다. 어떤 일이 있어도 직업 변동은 하지 마라. 후회할 수. 1·2·3월생 푸른색이 행운색이나 검정색은 필히 피함이 좋다.
토끼띠	종합○ 금전△ 애정○ 건강○ 사업△ 사람을 싫어하게 되는 것은 큰 곤욕아. 4·9·12월생 ㅅ·ㅊ·ㅁ 성씨는 떠나려는 것은 좋으나 갈 곳을 먼저 정해놓고 결정하라. 미혼자 장남·장녀는 남·동쪽에서 혼자 들어올 수. 때가 되었으니 신중을 기해 잡음이 좋겠다.
용띠	종합○ 금전△ 애정○ 건강○ 사업× 2·4·8·11월생 중 안경 쓴 사람은 외국을 자기 집 드나들듯 다니든가 외국물건을 취급하는 직업을 가지고 있는 격. 그러나 ㄱ·ㅇ·ㅂ·ㅁ 성씨는 매매건에 시달리니 힘겨운 상태구나. 음력 7·9·11월에나 가능하니 아직은 기다려라.
뱀띠	종합○ 금전△ 애정◎ 건강○ 사업△ 65년생 미혼자는 이탈만 하지 말 것. 나이 차이의 사람이 인연이 될 수. 남자는 소·양·개·용띠와 인연이 있고 여자는 닭·말·쥐·토끼와 인연이 맺어질 듯. 오랜만에 기쁜 소식 들리니 기분 좋은 하루이다. 데이트로 시간을 가져 보라.

말띠	종합○ 금전○ 애정△ 건강△ 사업○ 본인이 하는 일은 정당하고 아내가 하는 일 부정하게 보는 것은 삼갈 것. 행한 대로 거두는 법이니 상재를 원망하지 말고 화목을 유지하라. 2월생은 8·11월생과 이성 간에 교제라면 피하고 친구와 우정을 나누는 것은 괜찮다.
양띠	종합○ 금전○ 애정△ 건강× 사업○ ㅇ·ㄱ·ㅈ 성씨를 잡으려 했지만 떠나는 격이니 미련두지 말 것. 힘들겠지만 빨리 잊고 구상하는 일 좀 더 치밀한 계획을 세워 자신의 길을 개척하라. 일에 몰두하면 건강 또한 회복될 수 있으니 옛것을 버리고 새로운 삶 찾을 것.
원숭이 띠	종합○ 금전△ 애정△ 건강△ 사업○ 지난 일을 되돌릴 수 없는 법. 버린 것 새로이 잡으려고 미련두지 말 것. 4·9·10월생 벙어리 냉가슴 앓는다고 알아줄 자 없으니 자신을 변화시켜라. 그 길만이 당신을 고독에서 벗어나게 할 수. 서남간에 새로운 사람 나타날 듯.
닭띠	종합○ 금전△ 애정○ 건강△ 사업△ 자신의 희생과 봉사로 보람을 찾기 이전에 엉뚱한 곳에서 특히 여자의 힘을 빌리려는 마음을 버릴 것. ㅈ·ㅇ·ㅎ 성씨 가족 신병에 좀 더 관심을 기울여라. 남의 눈을 의식하지 말고 진실 그 자체로 돌봄이 좋겠다. 변해가는 마음 걱정된다.
개띠	종합○ 금전△ 애정○ 건강× 사업△ 소심한 성격을 바꾸어 보는 것도 사업에 큰 도움이 되며 아랫사람 거느리는 데 장점으로 부각됨을 알 것. ㅅ·ㅇ·ㄹ 성씨 사회는 항상 새로운 것을 요구하고 있으니 애정에 이끌리지 말고 자기 발전에 더욱더 신경 써 노력하라.
돼지띠	종합◎ 금전○ 애정× 건강○ 사업○ 자녀문제는 끝이 없겠지만 1·2·4·9월생 자녀 건강과 진학문제로 고심하겠으나 염려할 자식은 3·5·8·11월생임을 알 것. 북동쪽 방향을 택하면 걱정은 끝이 될 수. ㅅ·ㅇ·ㅂ·ㅊ 성씨 위생업을 추진한다면 계속 전진하면 길하겠다.
	◎아주 좋다 ○좋다 △보통 ×나쁨

※ 자연이야말로 마르지 않는 것이다. 그 모습 속에서 생기 있는 것을 꾸밈없이 비쳐주는 것이다.

'오늘의 육임 운세'(스포츠조선)

〈이춘형 육임연구회〉 1996년 8월 26일(음력 7월 13일) 현재

[■: 남 ▲: 여]

구분 띠	생체 리듬	사랑	희망	대인관계	재물	이동	행운의 색	행운의 수	체크 포인트
쥐띠 (백호)	새로운 기분을 간직한다.	■동쪽에서 온 여인을 애인으로 삼아라.	성취하게 되니 기쁜 일 있다.	부지런히 이웃을 도와라.	먼 곳에서 큰 재물을 가져온다.	▲여행에서 도둑맞기 쉽다.	▲푸른색이 연인의 관계를 좋게 한다.	4를 원하면 일이 쉽게 성사된다.	희망은 성공으로 이끄는 신앙이다.
소띠 (태상)	재수가 있어 기분이 기쁘다.	▲사랑으로 마음의 안정을 갖는다.	집안일이면 태평하고 안락하다.	귀인이 도와주니 관운이 임하게 된다.	■돈벌이가 무섭게 성취된다.	일을 성취하려면 동쪽으로 가라.	■여자를 사귀려면 장미꽃이 행운	▲6송이의 장미를 선사하라.	희망은 힘찬 용기며 새로운 의지다.
범띠 (현무)	외로움 있으니 독서로 다스려라.	■단지 친구일 뿐이다.	돈이면의 외의 횡재수 있다.	도움을 받게 된다면 일이 성사된다.	재물운이 통하니 풍요를 누린다.	▲서쪽에서 연인을 만나게 된다.	▲애인의 선물은 갈색의 제품으로 하라.	▲미팅에서 3번째 사람이 좋다.	희망이 인간을 만든다.
토끼띠 (태음)	허망한 마음이 사라지니 마음잡아라.	▲귀인 같은 남자를 만나게 된다.	질병에 대한 걱정은 해소된다.	동쪽의 귀인이 도움을 줄 것이다.	재물의 부족함이 눈 앞에 다가온다.	▲남자와 여행을 하면 후회가 생긴다.	▲흰색 속옷을 애인에게 선물하라.	▲7시에 저녁 약속을 하라.	나날이 새롭고 또 새롭게 하라.
용띠 (천후)	원망을 들어 기분이 나쁘다.	▲연인의 도움을 받아 마음 기쁘다.	때를 지키면 꾀한 일을 성취한다.	길한 운이니 시험 성취 된다.	재수가 좋아서 재물을 얻게 된다.	이 사는 동쪽. 재물운 있다.	■하얀 백합을 여인에게 전달하라.	▲오후 2시가 사랑을 가속화 한다.	늦잠은 시간의 지출이다.
뱀띠 (귀인)	근심이 생길 수이니 일을 만들지 마라.	■여자 다루기를 유리처럼 다루어라.	주위 도움으로 일을 성사한다.	경사가 생긴다. 마음을 안정 시켜라.	늦게나마 작은 재물이 들어온다.	■서쪽, 남쪽이 이사운.	■감색 핸드백을 간직하라. 재물 있다.	▲3번째 사람이 파트너가 된다.	바쁜 사람이 많은 시간을 가진다.
말띠 (등사)	모함을 받아 기분이 언짢게 된다.	■혼인의 경사가 생길 운	기다리던 일이 오히려 쉽게 해결된다.	사람에게 친하게 대하면 손해 없다.	주변 도움으로 재물을 간신히 얻는다.	여행을 피하라. 이 사는 좋다.	노란색, 초록색이 행운을 준다.	9의 수가 행운. 29세 결혼 좋다.	계획이란 미래에 관한 현재의 결정이다.
양띠 (주작)	늘어가는 근심을 감당하기 어렵다.	■애인과 약속한 일을 기억하고 있어라.	귀인이 도우니 매사의 일이 성취된다.	마음으로 친구를 사귀어야 한다.	오후에 돈이 생기며 이때에 부탁도 하라.	집에 있는 것보다 여행이 좋다.	▲분홍 원피스는 남자를 매혹 시킨다.	7이 행운. 7송이 꽃을 전하라.	사람은 패배에서 교훈을 배운다.
원숭이띠 (육합)	몸이 상할 것이니 유의하여라.	사람이 도와주니 사랑이 시작된다.	집안의 일이 면모두 성취된다.	재물로 일을 과시하면 망신을 받게 된다.	지방에서 재물을 얻게 된다. 지출 크다.	이사는 남쪽. 길운 따른다.	■흰색에 기대를 걸어라. 행운 있다.	3번의 데이트 신청에 여자 OK	운명 속에 우연은 없다.

닭띠 (구진)	분수를 지켜 몸 을 상하 게 하지 마라.	▲경사가 있으니 결 혼하겠다.	▲자식을 원하면 자 손을 잉태 한다.	관 운을 얻게 된 것은 노 력의 대 가다.	거 래 에 실 수 가 생 겨 서 재 물 이 나간다.	이 동 을 하니 재 물만 축 이 난다.	▲ 흰 색 입은 남 자를 택 하라.	6이 자동 차 번 호 로 좋다.	운명은 행복 이나 불행하 게 하지 않 는다.
개띠 (청룡)	판 단 을 정 확 히 해야 후 회 하 지 않는다.	사랑은 하 루아침에 이뤄지지 않는다.	횡재수가 있으니 마 음이 평온 하다.	사 람 의 말을 잘 못 믿고 어려움을 당한다.	온라인이 입 금 된 다. 작은 돈이다.	여 행 이 허 망 하 다. 큰 득 이 없다.	■베이지 색을 선 택하라.	모든 일 은 5번 생각하라.	어떻게 참 고 견디느 냐가 중요 한 것이다.
돼지띠 (천공)	구 설 이 들어 마 음이 답 답하다.	■급하게 사랑을 진 전시키지 마라.	■묘한 아 이디어로 큰일을 이 룬다.	주 관 을 지킬 줄 알 아 야 한다.	재 물 은 생 기 지 만 크지 못하다.	이 사 는 오 히 려 불 만 족 스럽다.	행 운 의 색은 검 정색	4가 행운. 24, 34세 를 선택 하라.	인생의 중요 한 힘이란 존경 속에 있다.

2) 월간잡지 및 주간잡지

◆ 월간잡지

잡지명 \ 내용	내 용	발행연도
월간조선	- 김열규, "한국신화와 무속"	1980.10
월간조선	- 장기천, "기독교인의 미신적 사고 〈특집〉"	1982.9
월간조선	- 정진홍, "무속신앙의 현대적 조명 〈특집〉"	1983.6
월간조선	- 조선일보사 편, "미래를 투시하는 천의 눈, 세계 저명 학자·작가·점술가들이 본 인류의 미래"	1982.3
월간조선	- 최길성, "무속에 나타난 종교의식"	1972.10
월간중앙	- 임동권, "迷信(한국·한국인 ⑧)"	1974.6
신동아	- 장주근, "한국민속신앙의 사회적 역할"	1980.10
시사월간 WIN	- 역술가들이 내다 본 1996 丙子年 "큰 짐승들이 먹이 다툼으로 1년 내내 시끄럽다."	1996.1
FEEL	- 점은 미신인가, 아닌가	1996.2
시사월간 WIN	- 무속인들이 보는 97大選 전망 "최형우·이홍구 당선 占卦" - 대권주자 7인 신년운세 "대체로 상승기운이나 신중·겸손·절제가 필요"	1997.1

• 주간잡지

내 용 잡지명	내 용	발행연도
주간매경	- 역술가가 보는 96년 "남북 간 소소한 총격전 · 클린턴 재선"	1996년 1월 초
주간한국	- 역학으로 본 96년 지구촌 운세	1996년 1월 초
뉴스피플	- 역술인들이 본 1996년 國運과 세계정세 "국내 정치판 사분오열 양상"	1996년 1월 초
Inside The World	- 띠별로 보는 1996년 운세	1996년 1월 초
한겨레21	〈특집Ⅱ〉 - 역술인이 보는 1997년 - 별자리에 나타난 1997년 - 역술이 세계를 지배한다.	1997년 1월 초
주간조선	〈신년특집: 새해운세풀이〉 - "11인 토정비결로 본 '97大權의 향배" - "11大 재벌을 통해본 97재계 토정비결"	1997년 1월 초

3) 방송매체

• KBS영상사업단 비디오 자료

프로그램명	방영일/분	내 용
한국탐구	90.3.23 (90분)	**통과의례** - 삶의 과정 중 한 개인이 어떤 집단의 구성원임을 인정받고 지위와 역할을 부여받기 위하여 반드시 거쳐야 하는 통과의례. 통과의례는 한국인의 삶의 주기, 일생에서 각 의례가 지닌 의미, 한국인의 삶의 모습을 규명한다. 경상, 전라, 충청을 망라한 다양한 통과의례를 보여주며, 전통의례, 사후결혼식 등도 소개된다.
KBS 문화강좌	89.1.15 (60분)	**금기어와 금기풍속**
KBS 문화강좌	89.4.23 (60분)	**무속의 세계, 무신도**

• MBC프로덕션 비디오 자료

프로그램명	방영일/분	내 용
대전 MBC 창사특집 다큐멘터리	1988.2~9 (60분)	**무속의 세계(1·2부)** -계룡산을 중심으로 전국의 무속현장을 취재·구성·제작한 프로그램으로 무속을 있는 그대로의 현상학적인 방법으로 조명한 최초의 다큐멘터리이다.〔제1부 '굿' / 제2부 '무당과 신'〕
〈PD수첩〉	1995.1.24 (60분)	**점집이 붐빈다** -매년 해가 바뀔 무렵에는 입시 철까지 끼어있어 점집이 성황을 이루고 있다.
〈PD수첩〉	1996.1.9 (60분)	**〈신년특집〉 점술가가 판친다** -정치와 사회 전반에 커다란 영향을 주고 있는 점의 허와 실을 취재하였다.

• SBS프로덕션 비디오 자료

프로그램명	방영일/분	내 용
UFO의 실체를 밝힌다.	1992.5.5 (55분)	**목격 보고와 영상 자료 심층 분석** -UFO는 정말 외계인이 타고 온 비행접시일까. 그렇다면 외계인은 존재할까? 지난 50년대 이래 국내에 보고된 총 150여 건의 UFO목격 보고와 영상자료에 대한 면밀한 검토, 목격현장 재연 실험 등의 심층 분석을 통해 우리나라 상공의 UFO실체를 알아보고 외국의 UFO조우 사례를 취재하였다.
불가사의의 세계 -영혼	1992.7.19 (55분)	**무속신 통한 영혼의 세계 해부** -인간은 보이지 않은 것을 불신하는 한편 그에 대한 기대도 크다. 그렇다면 과연 귀신은 존재하는가? 또 영혼이 있다면 어디에 머무는가? 귀신을 목격했다는 사람들이 종종 등장하고 귀신을 통해 예언과 병고침 능력을 받는다는 무당들도 있다. 그것은 신력인가 초능력인가? 무속에서 말하는 신의 존재를 통해 정신세계의 미스터리에 접근해 본다.

프로그램명	방영일/분	내 용
세계의 불가사의 -초능력의 실체1, 2	93.12.19 ~26 (매회70분)	**해외 연구기관 및 관계자 방문 취재** -과학적인 접근과 이해를 통해 초능력의 실체에 보다 가까이 접근해 보려는 의도로 준비된 프로그램이다. 미국, 일본의 초능력 연구기관과 초능력자, 초능력 관련 연구자들을 인터뷰하는 등 불가사의한 초능력의 베일을 벗기는 데 주력했다.
불가사의의 세계 -무속과 초능력	93.9.26 (57분)	**실험과 검증으로 미스터리 진위 가려** -용하다는 무당이 작두를 탄다. 병을 고친다, 미래를 정확하게 예측한다는 것은 신력에 의해선가 초능력을 발휘함인가. 무속의 불가사의한 현상들을 놓고 과학적 실험과 검증을 통해 그 미스터리의 진위를 추적한다.
사주, 그 정체를 밝힌다	1994.1.9 (55분)	**금전만능 철학관 실태 고발** -한날한시에 태어났음에도 전혀 다른 삶을 살고 있는 사람들을 만나 사주의 한계를 추적한다. 또 관상대가가 말하는 재벌과 고관들의 관상, 역술대가가 뽑은 세상에서 가장 좋은 사주와 나쁜 사주를 알아본다. 한편 서울역의 걸인을 화려하게 변장시켜 여러 역술인들로 하여금 검증케 하고, 사회 카운슬러로서의 역할이 아닌 금전거래만을 중시하는 상술 위주로 운영되고 있는 철학관의 실태의 문제점도 진단한다.
불가사의의 세계 -귀신들림과 신내림	1994.8.20 (60분)	**환청, 환시 등 그 현상과 해결책** -귀신들림이란 무엇인가? 극도의 흥분, 종교적인 횡설수설, 환청과 환시, 신체마비 등의 현상이 나타날 때 흔히들 귀신들림이라고 한다. 그러나 정신과 전문의들은 이런 현상을 보이는 이들의 90% 이상이 정신질환자일 뿐이라고 주장한다. 정신질환이든 귀신들림이든 당사자에겐 치명적인 고통이 아닐 수 없다. 정상인이 보기에는 너무나도 섬뜩한 귀신들림, 그 현상과 해결책을 알아본다.

프로그램명	방영일/분	내 용
불가사의의 세계 -최면	1995.1.21 (60분)	**최면 현상에 과학적 접근** -최면에 의한 무통발치(拔齒), 마취수술 등 가능하다고 한다. 회색지대(twilight zone)의 신비, 최면과 사랑, 최면과 환각, 최면과 치유, 최면과 암시의 상관관계는 무엇인가? 이와 같은 현상에 대한 과학적인 접근을 통해 잠재의식, 암시 트랜스(trance) 등 최면세계의 미스터리를 풀어 본다.
예언의 세계	95.2.25 (60분)	**불길한 징조로 가득 찬 예언들 분석** -20세기말을 살아가는 우리 앞에는 홍수, 지진, 파괴, 대륙의 침몰, 파국을 부르는 대환란 등 불길한 예언이 가득 차있다. 불길한 징조로 넘치는 예언의 세계를 들여다보며 인생과 세상의 유한함을 깨닫는 계기로 삼고자 한다. 노스트라다무스의 예언과 프랑스연구소, 이집트 피다만트의 예언과 관련된 비밀, 미국의 에드가 케이시 및 그 연구소, 국내 정감록과 격암유록, 일반인들의 예감, 예지 등을 취재했다.
풍수지리, 그 허와 실	94.4.17 (55분)	**조상 묏자리 정말 중요한가?** -영당을 찾으려는 사람들의 노력은 거의 필사적이다. 또 세계적으로 우리나라만큼 매장률이 높은 나라도 드물다고 한다. 명당을 믿는 이들은 명성 높은 지관을 찾아 팔도를 누비고 초호화분묘를 조성하기도 한다. 묘지 부족을 부채질하는 풍수지리의 근거, 매장보다 화장이 더 좋은 이유 등을 과학적 실험을 통해 알아본다.

4. Q설문지

안녕하십니까?

본 설문조사에서는 일반대중들을 대상으로 한국 신문의 미신 관련기사에 관한 주관성 연구를 실시하고자 합니다. 즉, 본 연구내용은 한국 신문의 미신 관련기사에 대해서 일반대중들이 지니고 있는 다양한 관심이나 주관적인 성향(느낌, 견해)들을 살펴봄으로써, 유형들이 각각 어떠한 특징을 함유하고 있는지에 관한 것으로, 귀하께서 지니고 계신 의향을 다음의 진술문들을 읽으시고 〈긍정〉, 〈중립〉, 〈부정〉 항목을 구분하여 각각의 해당번호를 기재해 주시면 감사하겠습니다.

아울러, 그러한 항목들로 구분하신 이유에 대해서 자세히 설명해 주시면 감사하겠습니다.

본 설문조사는 학문적인 목적으로만 사용됨을 약속드리며, 또한 귀하의 솔직한 답변은 효율적이고 폭넓은 연구활동에 커다란 도움이 될 것입니다.

다시 한 번 이번 연구에 참여해 주신 여러분께 감사드립니다!

■ 여러분들에게 제시된 **30개 진술문**들을 읽으시고 아래의 □ 안에 각각의 Q진술문에 표시된 숫자를 기재해 주십시오!

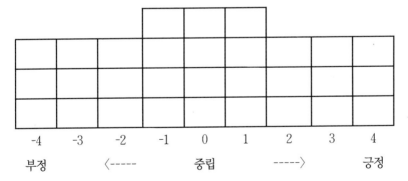

〈심층분석〉

▲ 귀하께서 **가장 부정적인 항목**을 선택하신 이유를 구체적으로 적어 주십시오.

(   )

▲ 귀하께서 **가장 긍정적인 항목**을 선택하신 이유를 구체적으로 적어 주십시오.

(   )

5. Q조사결과

AUDIENCE BEHAVIOR Q-STUDY FOR SUPERSTITIONS-RELATED NEWSPAPER FEATURES

PROGRAM TO BEGIN EXECUTION WITH RAW DATA AND END EXECUTION WITH END OF WRAP

NUMBER OF CASES OR ITEMS = 30

NUMBER OF VARIABLES = 30

CONTROL SUMMARY--

PRE-PROCESSOR PHASE (APPLIES TO ANY PROBLEM ENDING WITH WRAP PHASE, REGARDLESS OF PROGRAM ENTRY POINT)

INPUT MATRIX TO BE TRANSPOSED.

LABELS FOR VARIABLES TO BE READ

CORRELATION AND PRINCIPAL COMPONENTS FACTORING PHASE

NO MORE THAN 3 FACTORS TO BE EXTRACTED

ROTATION PHASE

VARIMAX (ORTHOGONAL) ROTATION REQUESTED

WRAP PHASE

BIPOLAR SPLITTING CRITERION IS 25.00

CONSENSUS ITEM CRITERION IS 1.000

FIRST ROW OF INPUT DATA

5.0000	6.0000	4.0000	7.0000	6.0000	6.0000

9.0000 8.0000 4.0000 9.0000

9.0000	1.0000	7.0000	8.0000	1.0000	3.0000

3.0000 3.0000 2.0000 2.0000

2.0000	5.0000	5.0000	1.0000	8.0000	7.0000

6.0000 4.0000 4.0000 5.0000

FIRST ROW OF PROCESSED DATA--

5.0000	1.0000	4.0000	1.0000	1.0000	5.0000

3.0000 3.0000 9.0000 4.0000

3.0000	3.0000	3.0000	6.0000	9.0000	1.0000

8.0000 2.0000 7.0000 4.0000

4.0000	8.0000	1.0000	5.0000	3.0000	3.0000

9.0000 8.0000 6.0000 2.0000

VAR.	MEAN	STANDARD DEV.
1	5.0000	2.4631
2	5.0000	2.4631

3	5.0000	2.4631
4	5.0000	2.4631
5	5.0000	2.4631
6	5.0000	2.4631
7	5.0000	2.4631
8	5.0000	2.4631
9	5.0000	2.4631
10	5.0000	2.4631
11	5.0000	2.4631
12	5.0000	2.4631
13	5.0000	2.4631
14	5.0000	2.4631
15	5.0000	2.4631
16	5.0000	2.4631
17	5.0000	2.4631
18	5.0000	2.4631
19	5.0000	2.4631
20	5.0000	2.4631
21	5.0000	2.4631
22	5.0000	2.4631
23	5.0000	2.4631
24	5.0000	2.4631
25	5.0000	2.4631
26	5.0000	2.4631
27	5.0000	2.4631

28	5.0000	2.4631
29	5.0000	2.4631
30	5.0000	2.4631

CORRELATION MATRIX

			1	2	3	4
5	6	7	8	9	10	11
12	13					

VAR. 1 1.여성 10대
			1.0000	.3132	.7857	.2198
.4011	.1978	.7143	.4121	.1978	.0769	-.1484
.4835	.2198					

VAR. 2 2.여성 10대
			.3132	1.0000	.0824	.6099
-.2088	-.2418	.1209	.3352	.0220	.1484	.3736
.2582	-.2418					

VAR. 3 3.남성 10대
			.7857	.0824	1.0000	.0165
.6209	.4890	.6374	.4066	.1319	-.2143	-.4451
.4176	.4341					

VAR. 4 4.남성 10대
			.2198	.6099	.0165	1.0000
-.0824	-.2198	.2033	.0604	.0000	.2527	.3022
.0879	-.0110					

VAR. 5 5.여성 20대
			.4011	-.2088	.6209	-.0824
1.0000	.5330	.4780	.3132	-.1813	-.2527	-.6868
.0110	.5275					

VAR. 6 6.여성 20대
| | | | .1978 | -.2418 | .4890 | -.2198 |
| .5330 | 1.0000 | .2747 | .2747 | -.2363 | -.4176 | -.5879 |

.1758   .4835

VAR. 7 7.여성 20대   .7143   .1209   .6374   .2033

.4780   .2747   1.0000   .2802   .1484   .1374   -.0989

.4890   .3791

VAR. 8 8.여성 20대   .4121   .3352   .4066   .0604

.3132   .2747   .2802   1.0000   -.0604   -.2143   -.1154

.3132   .2857

VAR. 9 9.남성 20대   .1978   .0220   .1319   .0000

-.1813   -.2363   .1484   -.0604   1.0000   .0714   .3132

.0934   -.2582

VAR. 10 10.남성 20대   .0769   .1484   -.2143   .2527

-.2527   -.4176   .1374   -.2143   .0714   1.0000   .5330

.1923   -.1429

0VAR. 11 11.남성 20대   -.1484   .3736   -.4451   .3022

-.6868   -.5879   -.0989   -.1154   .3132   .5330   1.0000

.2857   -.5385

0VAR. 12 12.남성 20대   .4835   .2582   .4176   .0879

.0110   .1758   .4890   .3132   .0934   .1923   .2857

1.0000   .1264

0VAR. 13 13.여성 30대   .2198   -.2418   .4341   -.0110

.5275   .4835   .3791   .2857   -.2582   -.1429   -.5385

.1264   1.0000

0VAR. 14 14.여성 30대   .4066   -.1374   .4121   -.1484

.5220   .3626   .5769   .2363   -.1484   -.0879   -.5549

.0495   .5440

OVAR. 15 15.여성 30대   -.4121   .1099   -.5714   .1044
-.7747   -.6099   -.5385   -.4560   .2143   .3022   .6484
-.1264   -.6484

OVAR. 16 16.여성 30대   .3187   -.0385   .4176   -.1484
.6429   .2912   .4121   .5000   -.2198   -.1429   -.3846
.0549   .4505

OVAR. 17 17.여성 30대   .2747   .2527   -.0495   .2802
-.2363   -.3901   .0989   -.2198   .3022   .4011   .4176
.0769   -.4121

OVAR. 18 18.남성 30대   .5165   .3571   .3736   .2802
.2088   .0659   .3846   .5000   .1484   -.0934   -.0220
.2198   .1484

OVAR. 19 19.남성 30대   .1538   .4670   -.0769   .3242
-.4066   -.2912   .0275   .1593   .1978   .1923   .4066
.3791   -.5055

OVAR. 20 20.남성 30대   .3242   .1758   .1044   .2692
-.2143   -.3132   .3407   -.1484   .2857   .4560   .4451
.2418   -.2143

OVAR. 21 21.남성 30대   .2747   .1978   .1648   .2088
-.1209   -.2967   .1484   .0385   .2857   .4341   .4231
.4066   -.1209

OVAR. 22 22.남성 30대   -.0275   .3077   -.2253   .3681
-.5385   -.4835   -.1978   -.2912   .5275   .5110   .5604
-.0440   -.3846

OVAR. 23 23.여성 40대   .5604   .1374   .6703   .0989

.6978   .3132   .4890   .4670   -.2198   -.0879   -.4835

.1758   .7033

0VAR. 24 24.여성 40대   .4615   -.1648   .6429   -.1813

.6923   .5220   .4725   .3297   -.0275   -.4121   -.7582

.0275   .6484

0VAR. 25 25.여성 50대   .5220   .1648   .5824   -.1154

.5110   .4396   .4505   .6099   -.2088   -.2747   -.3956

.3681   .2637

0VAR. 26 26.여성 50대   .3242   .1044   .5000   .0385

.6209   .4286   .3352   .5220   -.3626   -.3516   -.6209

.0110   .7033

0VAR. 27 27.남성 40대   -.0495   -.4231   .0714   -.3791

-.0989   -.1484   .0165   -.0330   .5385   -.0055   .1154

.0714   -.0659

0VAR. 28 28.남성 40대   -.0989   .2692   -.4286   .3077

-.7253   -.5714   -.2308   -.4231   .3187   .5055   .7308

.0165   -.5934

0VAR. 29 29.남성 50대   .2253   .2143   .1044   .0275

        -.0934   -.3242   .1429   -.0330   .2033   .2692

.2418   .2967   -.3516

0VAR. 30 30.남성 50대   .2143   -.0275   .5110   -.0824

.6868   .5495   .3407   .5549   -.2692   -.4341   -.6429

-.0275   .6538

			14	15	16	17
18	19	20	21	22	23	24

25   26

0VAR. 1 1.여성 10대   .4066   -.4121   .3187   .2747
.5165   .1538   .3242   .2747   -.0275   .5604   .4615
.5220   .3242

0VAR. 2 2.여성 10대   -.1374   .1099   -.0385   .2527
.3571   .4670   .1758   .1978   .3077   .1374   -.1648
.1648   .1044

0VAR. 3 3.남성 10대   .4121   -.5714   .4176   -.0495
.3736   -.0769   .1044   .1648   -.2253   .6703   .6429
.5824   .5000

0VAR. 4 4.남성 10대   -.1484   .1044   -.1484   .2802
.2802   .3242   .2692   .2088   .3681   .0989   -.1813
-.1154   .0385

0VAR. 5 5.여성 20대   .5220   -.7747   .6429   -.2363
.2088   -.4066   -.2143   -.1209   -.5385   .6978   .6923
.5110   .6209

0VAR. 6 6.여성 20대   .3626   -.6099   .2912   -.3901
.0659   -.2912   -.3132   -.2967   -.4835   .3132   .5220
.4396   .4286

0VAR. 7 7.여성 20대   .5769   -.5385   .4121   .0989
.3846   .0275   .3407   .1484   -.1978   .4890   .4725
.4505   .3352

0VAR. 8 8.여성 20대   .2363   -.4560   .5000   -.2198
.5000   .1593   -.1484   .0385   -.2912   .4670   .3297
.6099   .5220

0VAR.	9 9.남성 20대	-.1484	.2143	-.2198	.3022
.1484	.1978	.2857	.2857	.5275	-.2198	-.0275
-.2088	-.3626				
0VAR.	10 10.남성 20대	-.0879	.3022	-.1429	.4011
-.0934	.1923	.4560	.4341	.5110	-.0879	-.4121
-.2747	-.3516				
0VAR.	11 11.남성 20대	-.5549	.6484	-.3846	.4176
-.0220	.4066	.4451	.4231	.5604	-.4835	-.7582
-.3956	-.6209				
0VAR.	12 12.남성 20대	.0495	-.1264	.0549	.0769
.2198	.3791	.2418	.4066	-.0440	.1758	.0275
.3681	.0110				
0VAR.	13 13.여성 30대	.5440	-.6484	.4505	-.4121
.1484	-.5055	-.2143	-.1209	-.3846	.7033	.6484
.2637	.7033				
0VAR.	14 14.여성 30대	1.0000	-.6538	.3077	-.0934
.2143	-.1538	-.0989	-.3462	-.3681	.4835	.6209
.3901	.5220				
0VAR.	15 15.여성 30대	-.6538	1.0000	-.6758	.5000
-.4231	.3297	.1758	.1538	.5934	-.7033	-.7967
-.6264	-.6154				
0VAR.	16 16.여성 30대	.3077	-.6758	1.0000	-.3901
.4341	-.3077	-.0604	.0714	-.4396	.6868	.4835
.5989	.5824				
0VAR.	17 17.여성 30대	-.0934	.5000	-.3901	1.0000

-.2363   .3681   .5385   .3516   .5495   -.1758   -.4615

-.3681   -.4121

0VAR. 18 18.남성 30대   .2143   -.4231   .4341   -.2363

1.0000   .1374   .0330   -.0549   -.0879   .3846   .3571

.5714   .3132

0VAR. 19 19.남성 30대   -.1538   .3297   -.3077   .3681

.1374   1.0000   .2637   .2253   .2308   -.2967   -.3407

-.0330   -.3846

0VAR. 20 20.남성 30대   -.0989   .1758   -.0604   .5385

.0330   .2637   1.0000   .5604   .5275   -.1648   -.3626

-.0659   -.3626

0VAR. 21 21.남성 30대   -.3462   .1538   .0714   .3516

-.0549   .2253   .5604   1.0000   .4341   .0824   -.2857

-.1154   -.2637

0VAR. 22 22.남성 30대   -.3681   .5934   -.4396   .5495

-.0879   .2308   .5275   .4341   1.0000   -.4066   -.6044

-.4011   -.4725

0VAR. 23 23.여성 40대   .4835   -.7033   .6868   -.1758

.3846   -.2967   -.1648   .0824   -.4066   1.0000   .6868

.4231   .7527

0VAR. 24 24.여성 40대   .6209   -.7967   .4835   -.4615

.3571   -.3407   -.3626   -.2857   -.6044   .6868   1.0000

.4615   .6758

0VAR. 25 25.여성 50대   .3901   -.6264   .5989   -.3681

.5714   -.0330   -.0659   -.1154   -.4011   .4231   .4615

1.0000   .5440

OVAR. 26 26.여성 50대   .5220   -.6154   .5824   -.4121

.3132   -.3846   -.3626   -.2637   -.4725   .7527   .6758

.5440   1.0000

OVAR. 27 27.남성 40대   .0055   .2418   -.2033   .0659

-.1429   .0604   .1538   .1648   .1044   -.2473   -.0549

-.2308   -.2033

OVAR. 28 28.남성 40대   -.4505   .7527   -.6374   .6758

-.2582   .3681   .4890   .3681   .6813   -.5220   -.7088

-.6154   -.6923

OVAR. 29 29.남성 50대   -.1374   .2967   -.0275   .4341

-.0989   .3901   .5000   .3077   .2912   -.1703   -.2582

.2308   -.1538

OVAR. 30 30.남성 50대   .4835   -.7473   .5824   -.5824

.3462   -.4231   -.4560   -.2747   -.6154   .6813   .7582

.5989   .8462

	27	28	29	30
OVAR. 1 1.여성 10대	-.0495	-.0989	.2253	.2143
OVAR. 2 2.여성 10대	-.4231	.2692	.2143	-.0275
OVAR. 3 3.남성 10대	.0714	-.4286	.1044	.5110
OVAR. 4 4.남성 10대	-.3791	.3077	.0275	-.0824
OVAR. 5 5.여성 20대	-.0989	-.7253	-.0934	.6868
OVAR. 6 6.여성 20대	-.1484	-.5714	-.3242	.5495
OVAR. 7 7.여성 20대	.0165	-.2308	.1429	.3407

0VAR.	8 8.여성 20대	-.0330	-.4231	-.0330	.5549
0VAR.	9 9.남성 20대	.5385	.3187	.2033	-.2692
0VAR.	10 10.남성 20대	-.0055	.5055	.2692	-.4341
0VAR.	11 11.남성 20대	.1154	.7308	.2418	-.6429
0VAR.	12 12.남성 20대	.0714	.0165	.2967	-.0275
0VAR.	13 13.여성 30대	-.0659	-.5934	-.3516	.6538
0VAR.	14 14.여성 30대	.0055	-.4505	-.1374	.4835
0VAR.	15 15.여성 30대	.2418	.7527	.2967	-.7473
0VAR.	16 16.여성 30대	-.2033	-.6374	-.0275	.5824
0VAR.	17 17.여성 30대	.0659	.6758	.4341	-.5824
0VAR.	18 18.남성 30대	-.1429	-.2582	-.0989	.3462
0VAR.	19 19.남성 30대	.0604	.3681	.3901	-.4231
0VAR.	20 20.남성 30대	.1538	.4890	.5000	-.4560
0VAR.	21 21.남성 30대	.1648	.3681	.3077	-.2747
0VAR.	22 22.남성 30대	.1044	.6813	.2912	-.6154
0VAR.	23 23.여성 40대	-.2473	-.5220	-.1703	.6813
0VAR.	24 24.여성 40대	-.0549	-.7088	-.2582	.7582
0VAR.	25 25.여성 50대	-.2308	-.6154	.2308	.5989
0VAR.	26 26.여성 50대	-.2033	-.6923	-.1538	.8462
0VAR.	27 27.남성 40대	1.0000	.1484	.0440	-.1484
0VAR.	28 28.남성 40대	.1484	1.0000	.2143	-.7857
0VAR.	29 29.남성 50대	.0440	.2143	1.0000	-.2253
0VAR.	30 30.남성 50대	-.1484	-.7857	-.2253	1.0000

TABLE OF T-VALUES FOR TWO-PLACE R'S AT N= 30.
D.F.= 28.

.01	.053	.02	.106	.03	.159	.04	.212
.05	.265	.06	.318	.07	.371	.08	.425
.09	.478	.10	.532				
.11	.586	.12	.640	.13	.694	.14	.748
.15	.803	.16	.858	.17	.913	.18	.968
.19	1.024	.20	1.080				
.21	1.137	.22	1.193	.23	1.251	.24	1.308
.25	1.366	.26	1.425	.27	1.484	.28	1.543
.29	1.603	.30	1.664				
.31	1.725	.32	1.787	.33	1.850	.34	1.913
.35	1.977	.36	2.042	.37	2.107	.38	2.174
.39	2.241	.40	2.309				
.41	2.379	.42	2.449	.43	2.520	.44	2.593
.45	2.666	.46	2.741	.47	2.818	.48	2.895
.49	2.974	.50	3.055				
.51	3.137	.52	3.221	.53	3.307	.54	3.395
.55	3.485	.56	3.577	.57	3.671	.58	3.768
.59	3.867	.60	3.969				
.61	4.073	.62	4.181	.63	4.293	.64	4.407
.65	4.526	.66	4.649	.67	4.776	.68	4.907
.69	5.044	.70	5.187				
.71	5.335	.72	5.490	.73	5.652	.74	5.822

.75	6.000	.76	6.188	.77	6.386	.78	6.596
.79	6.818	.80	7.055				
.81	7.309	.82	7.581	.83	7.874	.84	8.192
.85	8.538	.86	8.918	.87	9.337	.88	9.804
.89	10.329	.90	10.926				
.91	11.614	.92	12.421	.93	13.389	.94	14.579
.95	16.099	.96	18.142	.97	21.113	.98	26.059
.99	37.135						

COMMUNALITY ESTIMATES

	.8554	.4380	.7302	.3564	.3712	.1225
.7753	.5409	.2710	.2270	.0302	.5918	.2975
.3627	.3818	.4014				
	.2471	.5383	.2376	.4269	.4269	.1061
.5807	.3304	.5096	.3792	.0355	.0864	.3436
.2959						

3 CHOSEN EIGENVALUES ARE

10.2826   4.3841   1.6938

PERCENTAGES OF TOTAL VARIANCE ARE

.3428   .1461   .0565

CUMULATIVE

.3428   .4889   .5454

PERCENTAGES OF VARIANCE WITHIN 3 FACTOR SOLUTION ARE

.6285　　.2680　　.1035

CUMULATIVE

.6285　　.8965　　1.0000

PRINCIPAL COMPONENTS FACTOR MATRIX

COMMUNALITY	VAR	FACTOR LOADINGS		
		1	2	3
0.835	1 1.여성 10대	.420	.799	-.144
0.662	2 2.여성 10대	-.128	.534	.600
0.763	3 3.남성 10대	.657	.510	-.269
0.386	4 4.남성 10대	-.163	.430	.417
0.662	5 5.여성 20대	.793	.052	-.175
0.424	6 6.여성 20대	.630	-.134	-.092
0.728	7 7.여성 20대	.484	.646	-.275
0.496	8 8.여성 20대	.519	.332	.340
0.300	9 9.남성 20대	-.293	.311	-.343
0.318	10 10.남성 20대	-.426	.361	-.076
0.632	11 11.남성 20대	-.721	.307	.135
0.384	12 12.남성 20대	.094	.611	-.041
0.516	13 13.여성 30대	.706	-.047	-.122
0.440	14 14.여성 30대	.621	.089	-.215

0.771	15 15.여성 30대	-.874	-.073	.035
0.496	16 16.여성 30대	.685	.150	.064
0.493	17 17.여성 30대	-.528	.430	-.172
0.461	18 18.남성 30대	.399	.430	.341
0.380	19 19.남성 30대	-.393	.423	.217
0.564	20 20.남성 30대	-.379	.599	-.250
0.408	21 21.남성 30대	-.290	.546	-.162
0.534	22 22.남성 30대	-.662	.306	-.034
0.673	23 23.여성 40대	.770	.280	.044
0.732	24 24.여성 40대	.843	-.011	-.146
0.588	25 25.여성 50대	.677	.310	.183
0.684	26 26.여성 50대	.809	.011	.172
0.263	27 27.남성 40대	-.173	-.011	-.482
0.725	28 28.남성 40대	-.822	.219	-.025
0.283	29 29.남성 50대	-.263	.453	-.095
0.759	30 30.남성 50대	.859	-.083	.118

EXTENDED VECTOR MATRIX

(MAY BE PLOTTED TO PERMIT DIRECT ROTATION AS DESCRIBED BY HARRIS)

VARIABLE	1	2	3
0 1 1.여성 10대	1.000	1.903	-.343
0 2 2.여성 10대	1.000	-4.174	-4.693
0 3 3.남성 10대	1.000	.776	-.410

0	4 4.남성 10대	1.000	-2.640	-2.561
0	5 5.여성 20대	1.000	.065	-.221
0	6 6.여성 20대	1.000	-.213	-.145
0	7 7.여성 20대	1.000	1.334	-.568
0	8 8.여성 20대	1.000	.640	.656
0	9 9.남성 20대	1.000	-1.062	1.171
0	10 10.남성 20대	1.000	-.846	.178
0	11 11.남성 20대	1.000	-.426	-.188
0	12 12.남성 20대	1.000	6.521	-.434
0	13 13.여성 30대	1.000	-.067	-.173
0	14 14.여성 30대	1.000	.143	-.347
0	15 15.여성 30대	1.000	.084	-.040
0	16 16.여성 30대	1.000	.219	.094
0	17 17.여성 30대	1.000	-.814	.325
0	18 18.남성 30대	1.000	1.077	.855
0	19 19.남성 30대	1.000	-1.079	-.552
0	20 20.남성 30대	1.000	-1.580	.659
0	21 21.남성 30대	1.000	-1.880	.556
0	22 22.남성 30대	1.000	-.463	.052
0	23 23.여성 40대	1.000	.364	.058
0	24 24.여성 40대	1.000	-.013	-.174
0	25 25.여성 50대	1.000	.458	.271
0	26 26.여성 50대	1.000	.014	.213
0	27 27.남성 40대	1.000	.065	2.786
0	28 28.남성 40대	1.000	-.267	.031

| 0 | 29 | 29.남성 50대 | 1.000 | -1.721 | .361 |
| 0 | 30 | 30.남성 50대 | 1.000 | -.097 | .137 |

VARIMAX ROTATION

INITIAL CRITERION = 207.3800000

SOLUTION OPTIMIZED AFTER 11 ITERATIONS. FINAL CRITERION = 259.6384000

SIMPLE STRUCTURE MATRIX

		VARIABLE	1	2	3
0	1	1.여성 10대	.670	.569	.250
0	2	2.여성 10대	-.073	.251	.771
0	3	3.남성 10대	.824	.289	.019
0	4	4.남성 10대	-.101	.251	.559
0	5	5.여성 20대	.787	-.182	-.098
0	6	6.여성 20대	.561	-.310	-.115
0	7	7.여성 20대	.709	.470	.067
0	8	8.여성 20대	.516	-.054	.476
0	9	9.남성 20대	-.103	.507	-.178
0	10	10.남성 20대	-.266	.491	.077
0	11	11.남성 20대	-.599	.471	.228
0	12	12.남성 20대	.288	.492	.244
0	13	13.여성 30대	.664	-.254	-.099
0	14	14.여성 30대	.648	-.070	-.125

0	15	15.여성 30대	-.840	.251	-.040		
0	16	16.여성 30대	.669	-.156	.155		
0	17	17.여성 30대	-.319	.625	.018		
0	18	18.남성 30대	.436	.072	.516		
0	19	19.남성 30대	-.275	.412	.367		
0	20	20.남성 30대	-.111	.742	.031		
0	21	21.남성 30대	-.064	.629	.090		
0	22	22.남성 30대	-.510	.517	.079		
0	23	23.여성 40대	.793	-.071	.200		
0	24	24.여성 40대	.808	-.265	-.099		
0	25	25.여성 50대	.687	-.068	.333		
0	26	26.여성 50대	.718	-.362	.194		
0	27	27.남성 40대	-.065	.250	-.442		
0	28	28.남성 40대	-.688	.500	.040		
0	29	29.남성 50대	-.082	.515	.108		
0	30	30.남성 50대	.746	-.438	.105		

RE-ORDERED FACTOR MATRIX

SEQ.	VARIABLE ID	1	2	3	COM.	PURE

FACTOR 1

1	14	14.여성 30대	.648	-.070	-.125	.440	.953
2	5	5.여성 20대	.787	-.182	-.098	.662	.935
3	23	23.여성 40대	.793	-.071	.200	.673	.933

4	15 15.여성 30대	-.840	.251	-.040	.771	.916
5	16 16.여성 30대	.669	-.156	.155	.496	.902
6	24 24.여성 40대	.808	-.265	-.099	.732	.891
7	3 3.남성 10대	.824	.289	.019	.763	.890
8	13 13.여성 30대	.664	-.254	-.099	.516	.856
9	25 25.여성 50대	.687	-.068	.333	.588	.804
10	26 26.여성 50대	.718	-.362	.194	.684	.753
11	6 6.여성 20대	.561	-.310	-.115	.424	.742
12	30 30.남성 50대	.746	-.438	.105	.759	.733
13	7 7.여성 20대	.709	.470	.067	.728	.690
14	28 28.남성 40대	-.688	.500	.040	.725	.652
15	11 11.남성 20대	-.599	.471	.228	.632	.568
16	1 1.여성 10대	.670	.569	.250	.835	.538
17	8 8.여성 20대	.516	-.054	.476	.496	.537

FACTOR 2

18	20 20.남성 30대	-.111	742	.031	.564	.976
19	21 21.남성 30대	-.064	.629	.090	.408	.970
20	29 29.남성 50대	-.082	.515	.108	.283	.935
21	9 9.남성 20대	-.103	.507	-.178	.300	.859
22	17 17.여성 30대	-.319	.625	.018	.493	.793
23	10 10.남성 20대	-.266	.491	.077	.318	.759
24	12 12.남성 20대	.288	.492	.244	.384	.630
25	22 22.남성 30대	-.510	.517	.079	.534	.501

| 26 | 19 19.남성 30대 | -.275 | .412 | .367 | .380 | .447 |

FACTOR 3

27	2 2.여성 10대	-.073	.251	.771	.662	.897
28	4 4.남성 10대	-.101	.251	.559	.386	.810
29	27 27.남성 40대	-.065	.250	-.442	.263	.746
30	18 18.남성 30대	.436	.072	.516	.461	.577

TOTAL VAR - PER FACTOR .3112 .1589 .0753 .5454
     - CUMULATIVE .3112 .4701 .5454
COM. VAR. - PER FACTOR .5707 .2913 .1380 1.0000
     - CUMULATIVE .5707 .8620 1.0000

FACTOR 1 IS 28.02 PER CENT NEGATIVE.

   NEGATIVE ITEMS ARE EXTRACTED, MADE POSITIVE AND FORMED INTO ADDED TYPE 4

VARIABLE ASSIGNMENTS WITH FACTOR WEIGHTS BY TYPE

VAR.   WEIGHT

 TYPE 1 (N= 14)

1. 여성 10대 1.2169

3. 남성 10대 2.5708

5. 여성 20대 2.0643

6. 여성 20대   .8180

7. 여성 20대 1.4236

8. 여성 20대   .7037

13. 여성 30대 1.1896

14. 여성 30대 1.1152

16. 여성 30대 1.2117

23. 여성 40대 2.1316

24. 여성 40대 2.3223

25. 여성 50대 1.3031

26. 여성 50대 1.4823

30. 남성 50대 1.6827

TYPE 2 (N= 10)

9. 남성 20대   .6834

10. 남성 20대   .6468

12. 남성 20대   .6488

17. 여성 30대 1.0263

19. 남성 30대   .4970

20. 남성 30대 1.6523

21. 남성 30대 1.0420

22. 남성 30대   .7053

27. 남성 40대   .2668

29. 남성 50대 .7004

TYPE 3 (N= 3)

2. 여성 10대 1.8972
4. 남성 10대 .8134
18. 남성 30대 .7028

TYPE 4 (N= 3)

11. 남성 20대 .9347
15. 여성 30대 2.8605
28. 남성 40대 1.3045

ITEM DESCRIPTIONS	TYPAL ARRAY Z'S			
	1	2	3	4
N'S FOR EACH TYPE ARE	14	10	3	4

1. 나는 기독교 가정에서 자라왔기 때문에 미신 관련기사와 같은 것들은 개인적으로 모두 배격한다. −1.0 .5 −1.9 1.2

2. 나는 미신이라는 것이 믿을 근거가 없는 한마디로 헛소리라고 생각하기 때문에 미신 관련기사를 믿지 않는다. −.6 1.2 −1.0 1.1

3. 나는 어차피 인간은 불확실하고 불완전한 존재이기 때문에 미신이나 미신 관련기사에 의존할 수도 있다고 생각한다. .7 −1.1 .0 −1.1

4. 나는 자신의 의지에 따라서 운명이 바뀌   .1   1.1   1.4   .2
진다고 보기 때문에 미신 및 미신 관련
기사를 믿지 않는다.

5. 미신을 중요시하는 사람들은 자신에 대   -.5   .6   .1   .5
해 자신감이 없고 나약한 사람들이라고
생각한다. 따라서 나는 미신 관련기사를
선호하지 않는다.

6. 나는 미신 관련기사가 너무 극단적인 내   -.3   .7   1.4   1.1
용으로 사람들을 현혹시키고 흥미를 유
발하기 때문에 싫어한다.

7. 나는 미신 관련기사라는 것이 그저 흥미   1.3   .7   1.6   -.6
거리, 심심풀이로 보는 경우가 있다고
생각된다.

8. 나는 개인적으로 무엇인가 뚜렷한 관심사   .9   .2   1.1   -.5
가 있을 때만 미신 관련 기사를 읽는다.

9. 나는 미신 관련기사가 사회에 악영향 내   -.8   -.1   1.9   1.2
지 부정적 영향을 미친다고 생각한다.

10. 나는 단순히 미신 관련기사를 비판하기   1.3   1.5   .8   -.8
앞서 미신에 대한 올바른 인식이 필요
하다고 생각한다.

11. 나는 미신 관련기사가 어떤 기분전환이   1.4   .7   -.5   -.9
나 휴식을 제공하는 장점도 있다고 생
각한다.

12. 나는 나의 미래의 운명과 신수에 대한   .4   -1.5   -1.3   -.9
궁금증으로 미신 관련기사를 자주 접
하는 편이다.

13. 나는 인간의 힘을 해결하지 못하는 것 1.6 -1.4 .2 -1.2
이 있다고 보기 때문에 가끔 미신 관
련기사를 보는 편이다.

14. 나는 평소에 고민거리가 있거나 답답한 1.6 -.6 -.3 -1.6
마음을 달래기 위해서, 즉 심적 안정을
꾀하기 위해서 때때로 미신 관련기사를
읽는다.

15. 나는 미신 관련기사를 믿는 편이다. .4 -1.2 -1.8 -1.0

16. 나는 미신 관련기사를 거의 믿지 않는다. -1.4 .2 .4 1.5

17. 나는 미신 관련기사에 거의 관심이 없다. -1.6 .5 -.4 1.0

18. 나는 미신 관련기사가 사람과 사회에 -.7 .6 -.5 .4
대해서 불신감을 조장하기 때문에 싫
어한다.

19. 나는 연말연시나 선거 때만 되면 연례 -.4 1.1 .4 .2
행사처럼 등장하는 미신 관련기사들을
싫어한다.

20. 나는 미신이나 미신 관련기사와 같은 -1.2 -.1 .0 1.3
것들이 없어져야 한다고 생각한다.

21. 나는 미신 관련기사가 사회적 국가적 -1.4 -.8 .8 1.3
차원으로 배척되어야 한다고 생각한다.

22. 나는 미신 관련기사가 사람들로 하여금 -.4 .7 .2 .5
소극적인 사고방식을 갖게끔 조장한다
고 여겨지기 때문에 읽지 않는다.

23. 나는 미신이라는 것이 세상살이 경험이 .6 -1.4 -1.2 -.5
많은 연세가 지긋한 분들이 믿고 있기
때문에 개인적으로 의존하는 편이다.

24. 나는 미신을 학문적으로 연구할 가치가 있다고 생각하기 때문에 미신 관련기사를 자주 접한다. -.5 -1.6 -1.0 -.6

25. 나는 미신이라는 것이 실제 세상살이에 있어서 가끔 필요한 처세술과 같은 것들을 제공해 주는 면도 있다고 생각한다. 1.4 -.3 .0 -.7

26. 나는 미신 관련기사가 확인이 안된 꽤 긍정적인 부분이 있다고 생각한다. 1.5 -1.1 .6 -1.5

27. 나는 21세기를 살아가는 현대인이라면 미신 관련기사 그 자체에 대해서 확실하게 무시해야 한다고 생각한다. -.7 .5 1.1 .4

28. 나는 미신 자체를 하나의 종교의 한 분야로서 인정했으면 하는 입장이므로 미신 관련기사에 대해서 호의적으로 생각한다. .2 -1.9 -.6 -1.8

29. 나는 지적인 수준이 그리 높지 않은 보통 사람들이 주로 운세와 관련해서 근거 없이 믿는 것이 미신이므로 미신기사를 잘 보지 않는다. -1.1 1.3 -1.7 1.1

30. 미신이라는 것이 이치에 어긋난 것을 잘못 생각해서 믿고 있는 신앙, 즉 믿어서는 안될 것을 믿는 것이 미신이라고 생각하므로 미신 관련기사를 신뢰하지 않는다. -.8 1.0 .2 .5

CORRELATIONS BETWEEN TYPES

	1	2	3	4
1	1.000	-.281	.110	-.861
2	-.281	1.000	.277	.552
3	.110	.277	1.000	.124
4	.861	.552	.124	1.000

DESCENDING ARRAY OF Z-SCORES AND ITEM DESCRIPTIONS FOR TYPE 1

13. 나는 인간의 힘을 해결하지 못하는 것이 있다고 보기 때 1.63
    문에 가끔 미신 관련기사를 보는 편이다.
14. 나는 평소에 고민거리가 있거나 답답한 마음을 달래기 위 1.62
    해서, 즉 심적 안정을 꾀하기 위해서 때때로 미신 관련기
    사를 읽는다.
26. 나는 미신 관련기사가 확인이 안된 꽤 긍정적인 부분이 1.45
    있다고 생각한다.
25. 나는 미신이라는 것이 실제 세상살이에 있어서 가끔 필요 1.38
    한 처세술과 같은 것들을 제공해 주는 면도 있다고 생각
    한다.
11. 나는 미신 관련기사가 어떤 기분전환이나 휴식을 제공하 1.36
    는 장점도 있다고 생각한다.
10. 나는 단순히 미신 관련기사를 비판하기 앞서 미신에 대한 1.33
    올바른 인식이 필요하다고 생각한다.

11. 나는 미신 관련기사가 어떤 기분전환이나 휴식을 제공하 1.36
는 장점도 있다고 생각한다.

10. 나는 단순히 미신 관련기사를 비판하기 앞서 미신에 대한 1.33
올바른 인식이 필요하다고 생각한다.

7. 나는 미신 관련기사라는 것이 그저 흥미거리, 심심풀이로 1.27
보는 경우가 있다고 생각된다.

8. 나는 개인적으로 무엇인가 뚜렷한 관심사가 있을 때만 미 .89
신 관련 기사를 읽는다.

3. 나는 어차피 인간은 불확실하고 불완전한 존재이기 때문에 .66
미신이나 미신 관련기사에 의존할 수도 있다고 생각한다.

23. 나는 미신이라는 것이 세상살이 경험이 많은 연세가 지긋 .61
한 분들이 믿고 있기 때문에 개인적으로 의존하는 편이다.

15. 나는 미신 관련기사를 믿는 편이다. .45

12. 나는 나의 미래의 운명과 신수에 대한 궁금증으로 미신 .44
관련기사를 자주 접하는 편이다.

28. 나는 미신 자체를 하나의 종교의 한 분야로서 인정했으면 .15
하는 입장이므로 미신 관련기사에 대해서 호의적으로 생
각한다.

4. 나는 자신의 의지에 따라서 운명이 바뀌진다고 보기 때문 .06
에 미신 및 미신 관련기사를 믿지 않는다.

6. 나는 미신 관련기사가 너무 극단적인 내용으로 사람들을 -.29
현혹시키고 흥미를 유발하기 때문에 싫어한다.

22. 나는 미신 관련기사가 사람들로 하여금 소극적인 사고방 -.37
식을 갖게끔 조장한다고 여겨지기 때문에 읽지 않는다.

19. 나는 연말연시나 선거 때만 되면 연례행사처럼 등장하는 -.43
미신 관련기사들을 싫어한다.

5. 미신을 중요시하는 사람들은 자신에 대해 자신감이 없고 -.45
나약한 사람들이라고 생각한다. 따라서 나는 미신 관련기
사를 선호하지 않는다.

24. 나는 미신을 학문적으로 연구할 가치가 있다고 생각하기 -.52
때문에 미신 관련기사를 자주 접한다.

2. 나는 미신이라는 것이 믿을 근거가 없는 한마디로 헛소리 -.58
라고 생각하기 때문에 미신 관련기사를 믿지 않는다.

27. 나는 21세기를 살아가는 현대인이라면 미신 관련기사 그 -.66
자체에 대해서 확실하게 무시해야 한다고 생각한다.

18. 나는 미신 관련기사가 사람과 사회에 대해서 불신감을 조 -.73
장하기 때문에 싫어한다.

9. 나는 미신 관련기사가 사회에 악영향 내지 부정적 영향을 -.77
미친다고 생각한다.

30. 미신이라는 것이 이치에 어긋난 것을 잘못 생각해서 믿고 -.84
있는 신앙, 즉 믿어서는 안될 것을 믿는 것이 미신이라고
생각하므로 미신 관련기사를 신뢰하지 않는다.

1. 나는 기독교 가정에서 자라왔기 때문에 미신 관련기사와 -1.02
같은 것들은 개인적으로 모두 배격한다.

29. 나는 지적인 수준이 그리 높지 않은 보통 사람들이 주로 -1.14
운세와 관련해서 근거 없이 믿는 것이 미신이므로 미신기
사를 잘 보지 않는다.

20. 나는 미신이나 미신 관련기사와 같은 것들이 없어져야 한 -1.15
다고 생각한다.

16. 나는 미신 관련기사를 거의 믿지 않는다. -1.35

21. 나는 미신 관련기사가 사회적 국가적 차원으로 배척되어 -1.41
야 한다고 생각한다.

17. 나는 미신 관련기사에 거의 관심이 없다. -1.57

DESCENDING ARRAY OF Z-SCORES AND ITEM DESCRIP-
TIONS FOR TYPE 2

10. 나는 단순히 미신 관련기사를 비판하기 앞서 미신에 대한   1.54
     올바른 인식이 필요하다고 생각한다.

29. 나는 지적인 수준이 그리 높지 않은 보통 사람들이 주로   1.27
     운세와 관련해서 근거 없이 믿는 것이 미신이므로 미신기
     사를 잘 보지 않는다.

2. 나는 미신이라는 것이 믿을 근거가 없는 한마디로 헛소리   1.24
     라고 생각하기 때문에 미신 관련기사를 믿지 않는다.

4. 나는 자신의 의지에 따라서 운명이 바꿔진다고 보기 때문   1.15
     에 미신 및 미신 관련기사를 믿지 않는다.

19. 나는 연말연시나 선거 때만 되면 연례행사처럼 등장하는   1.14
     미신 관련기사들을 싫어한다.

30. 미신이라는 것이 이치에 어긋난 것을 잘못 생각해서 믿고   1.01
     있는 신앙, 즉 믿어서는 안될 것을 믿는 것이 미신이라고
     생각하므로 미신 관련기사를 신뢰하지 않는다.

11. 나는 미신 관련기사가 어떤 기분전환이나 휴식을 제공하   .73
     는 장점도 있다고 생각한다.

6. 나는 미신 관련기사가 너무 극단적인 내용으로 사람들을   .68
     현혹시키고 흥미를 유발하기 때문에 싫어한다.

22. 나는 미신 관련기사가 사람들로 하여금 소극적인 사고방   .68
     식을 갖게끔 조장한다고 여겨지기 때문에 읽지 않는다.

7. 나는 미신 관련기사라는 것이 그저 흥미거리, 심심풀이로   .67
     보는 경우가 있다고 생각된다.

5. 미신을 중요시하는 사람들은 자신에 대해 자신감이 없고   .60
   나약한 사람들이라고 생각한다. 따라서 나는 미신 관련기
   사를 선호하지 않는다.

18. 나는 미신 관련기사가 사람과 사회에 대해서 불신감을 조   .59
    장하기 때문에 싫어한다.

27. 나는 21세기를 살아가는 현대인이라면 미신 관련기사 그   .52
    자체에 대해서 확실하게 무시해야 한다고 생각한다.

17. 나는 미신 관련기사에 거의 관심이 없다.   .49

 1. 나는 기독교 가정에서 자라왔기 때문에 미신 관련기사와   .48
    같은 것들은 개인적으로 모두 배격한다.

 8. 나는 개인적으로 무엇인가 뚜렷한 관심사가 있을 때만 미   .19
    신 관련 기사를 읽는다.

16. 나는 미신 관련기사를 거의 믿지 않는다.   .15

 9. 나는 미신 관련기사가 사회에 악영향 내지 부정적 영향을   -.09
    미친다고 생각한다.

20. 나는 미신이나 미신 관련기사와 같은 것들이 없어져야 한   -.12
    다고 생각한다.

25. 나는 미신이라는 것이 실제 세상살이에 있어서 가끔 필요   -.33
    한 처세술과 같은 것들을 제공해 주는 면도 있다고 생각
    한다.

14. 나는 평소에 고민거리가 있거나 답답한 마음을 달래기 위   -.56
    해서, 즉 심적 안정을 꾀하기 위해서 때때로 미신 관련기
    사를 읽는다.

21. 나는 미신 관련기사가 사회적 국가적 차원으로 배척되어   -.81
    야 한다고 생각한다.

 3. 나는 어차피 인간은 불확실하고 불완전한 존재이기 때문에 -1.08
    미신이나 미신 관련기사에 의존할 수도 있다고 생각한다.

26. 나는 미신 관련기사가 확인이 안된 꽤 긍정적인 부분이 -1.12
　　있다고 생각한다.

15. 나는 미신 관련기사를 믿는 편이다.　　　　　　　　　-1.19

13. 나는 인간의 힘을 해결하지 못하는 것이 있다고 보기 때 -1.39
　　문에 가끔 미신 관련기사를 보는 편이다.

23. 나는 미신이라는 것이 세상살이 경험이 많은 연세가 지긋 -1.40
　　한 분들이 믿고 있기 때문에 개인적으로 의존하는 편이다.

12. 나는 나의 미래의 운명과 신수에 대한 궁금증으로 미신 -1.48
　　관련기사를 자주 접하는 편이다.

24. 나는 미신을 학문적으로 연구할 가치가 있다고 생각하기 -1.64
　　때문에 미신 관련기사를 자주 접한다.

28. 나는 미신 자체를 하나의 종교의 한 분야로서 인정했으면 -1.92
　　하는 입장이므로 미신 관련기사에 대해서 호의적으로 생
　　각한다.

DESCENDING ARRAY OF Z-SCORES AND ITEM DESCRIP-
TIONS FOR TYPE 3

9. 나는 미신 관련기사가 사회에 악영향 내지 부정적 영향을 1.87
　　미친다고 생각한다.

7. 나는 미신 관련기사라는 것이 그저 흥미거리, 심심풀이로 1.58
　　보는 경우가 있다고 생각된다.

4. 나는 자신의 의지에 따라서 운명이 바뀌진다고 보기 때문 1.39
　　에 미신 및 미신 관련기사를 믿지 않는다.

6. 나는 미신 관련기사가 너무 극단적인 내용으로 사람들을 1.39
　　현혹시키고 흥미를 유발하기 때문에 싫어한다.

8. 나는 개인적으로 무엇인가 뚜렷한 관심사가 있을 때만 미 1.09
신 관련 기사를 읽는다.

27. 나는 21세기를 살아가는 현대인이라면 미신 관련기사 그 1.06
자체에 대해서 확실하게 무시해야 한다고 생각한다.

21. 나는 미신 관련기사가 사회적 국가적 차원으로 배척되어 .81
야 한다고 생각한다.

10. 나는 단순히 미신 관련기사를 비판하기 앞서 미신에 대한 .80
올바른 인식이 필요하다고 생각한다.

26. 나는 미신 관련기사가 확인이 안된 꽤 긍정적인 부분이 .58
있다고 생각한다.

19. 나는 연말연시나 선거 때만 되면 연례행사처럼 등장하는 .45
미신 관련기사들을 싫어한다.

16. 나는 미신 관련기사를 거의 믿지 않는다. .39

13. 나는 인간의 힘을 해결하지 못하는 것이 있다고 보기 때 .24
문에 가끔미신 관련기사를 보는 편이다.

22. 나는 미신 관련기사가 사람들로 하여금 소극적인 사고방 .23
식을 갖게끔 조장한다고 여겨지기 때문에 읽지 않는다.

30. 미신이라는 것이 이치에 어긋난 것을 잘못 생각해서 믿고 .16
있는 신앙, 즉 믿어서는 안될 것을 믿는 것이 미신이라고
생각하므로 미신 관련기사를 신뢰하지 않는다.

5. 미신을 중요시하는 사람들은 자신에 대해 자신감이 없고 .06
나약한 사람들이라고 생각한다. 따라서 나는 미신 관련기
사를 선호하지 않는다.

20. 나는 미신이나 미신 관련기사와 같은 것들이 없어져야 한 .02
다고 생각한다.

25. 나는 미신이라는 것이 실제 세상살이에 있어서 가끔 필요   .02
한 처세술과 같은 것들을 제공해 주는 면도 있다고 생각
한다.

3. 나는 어차피 인간은 불확실하고 불완전한 존재이기 때문에   .01
미신이나 미신 관련기사에 의존할 수도 있다고 생각한다.

14. 나는 평소에 고민거리가 있거나 답답한 마음을 달래기 위   -.32
해서, 즉 심적 안정을 꾀하기 위해서 때때로 미신 관련기
사를 읽는다.

17. 나는 미신 관련기사에 거의 관심이 없다.   -.40

11. 나는 미신 관련기사가 어떤 기분전환이나 휴식을 제공하   -.49
는 장점도 있다고 생각한다.

18. 나는 미신 관련기사가 사람과 사회에 대해서 불신감을 조   -.51
장하기 때문에 싫어한다.

28. 나는 미신 자체를 하나의 종교의 한 분야로서 인정했으면 하는   -.62
입장이므로 미신 관련기사에 대해서 호의적으로 생각한다.

2. 나는 미신이라는 것이 믿을 근거가 없는 한마디로 헛소리   -.97
라고 생각하기 때문에 미신 관련기사를 믿지 않는다.

24. 나는 미신을 학문적으로 연구할 가치가 있다고 생각하기   -1.03
때문에 미신 관련기사를 자주 접한다.

23. 나는 미신이라는 것이 세상살이 경험이 많은 연세가 지긋   -1.19
한 분들이 믿고 있기 때문에 개인적으로 의존하는 편이다.

12. 나는 나의 미래의 운명과 신수에 대한 궁금증으로 미신   -1.30
관련기사를 자주 접하는 편이다.

29. 나는 지적인 수준이 그리 높지 않은 보통 사람들이 주로   -1.70
운세와 관련해서 근거 없이 믿는 것이 미신이므로 미신기
사를 잘 보지 않는다.

15. 나는 미신 관련기사를 믿는 편이다.   -1.75
1. 나는 기독교 가정에서 자라왔기 때문에 미신 관련기사와 -1.87
    같은 것들은 개인적으로 모두 배격한다.

DESCENDING ARRAY OF Z-SCORES AND ITEM DESCRIPTIONS FOR TYPE 4

16. 나는 미신 관련기사를 거의 믿지 않는다.   1.53
20. 나는 미신이나 미신 관련기사와 같은 것들이 없어져야 한 1.33
    다고 생각한다.
21. 나는 미신 관련기사가 사회적 국가적 차원으로 배척되어 1.31
    야 한다고 생각한다.
1. 나는 기독교 가정에서 자라왔기 때문에 미신 관련기사와 1.18
    같은 것들은 개인적으로 모두 배격한다.
9. 나는 미신 관련기사가 사회에 악영향 내지 부정적 영향을 1.17
    미친다고 생각한다.
29. 나는 지적인 수준이 그리 높지 않은 보통 사람들이 주로 1.14
    운세와 관련해서 근거 없이 믿는 것이 미신이므로 미신기
    사를 잘 보지 않는다.
2. 나는 미신이라는 것이 믿을 근거가 없는 한마디로 헛소리 1.12
    라고 생각하기 때문에 미신 관련기사를 믿지 않는다.
6. 나는 미신 관련기사가 너무 극단적인 내용으로 사람들을 1.09
    현혹시키고 흥미를 유발하기 때문에 싫어한다.
17. 나는 미신 관련기사에 거의 관심이 없다.   1.03
30. 미신이라는 것이 이치에 어긋난 것을 잘못 생각해서 믿고 .53
    있는 신앙, 즉 믿어서는 안될 것을 믿는 것이 미신이라고
    생각하므로 미신 관련기사를 신뢰하지 않는다.

17. 나는 미신 관련기사에 거의 관심이 없다.   1.03

5. 미신을 중요시하는 사람들은 자신에 대해 자신감이 없고 나약한 사람들이라고 생각한다. 따라서 나는 미신 관련기사를 선호하지 않는다.   .50

22. 나는 미신 관련기사가 사람들로 하여금 소극적인 사고방식을 갖게끔 조장한다고 여겨지기 때문에 읽지 않는다.   .48

27. 나는 21세기를 살아가는 현대인이라면 미신 관련기사 그 자체에 대해서 확실하게 무시해야 한다고 생각한다.   .45

18. 나는 미신 관련기사가 사람과 사회에 대해서 불신감을 조장하기 때문에 싫어한다.   .36

19. 나는 연말연시나 선거 때만 되면 연례행사처럼 등장하는 미신 관련기사들을 싫어한다.   .24

4. 나는 자신의 의지에 따라서 운명이 바꿔진다고 보기 때문에 미신 및 미신 관련기사를 믿지 않는다.   .20

8. 나는 개인적으로 무엇인가 뚜렷한 관심사가 있을 때만 미신 관련 기사를 읽는다.   -.48

23. 나는 미신이라는 것이 세상살이 경험이 많은 연세가 지긋한 분들이 믿고 있기 때문에 개인적으로 의존하는 편이다.   -.54

24. 나는 미신을 학문적으로 연구할 가치가 있다고 생각하기 때문에 미신 관련기사를 자주 접한다.   -.61

7. 나는 미신 관련기사라는 것이 그저 흥미거리, 심심풀이로 보는 경우가 있다고 생각된다.   -.61

25. 나는 미신이라는 것이 실제 세상살이에 있어서 가끔 필요한 처세술과 같은 것들을 제공해 주는 면도 있다고 생각한다.   -.66

10. 나는 단순히 미신 관련기사를 비판하기 앞서 미신에 대한 올바른 인식이 필요하다고 생각한다.   -.78

12. 나는 나의 미래의 운명과 신수에 대한 궁금증으로 미신   -.92
   관련기사를 자주 접하는 편이다.
11. 나는 미신 관련기사가 어떤 기분전환이나 휴식을 제공하   -.94
   는 장점도 있다고 생각한다.
15. 나는 미신 관련기사를 믿는 편이다.   -1.03
 3. 나는 어차피 인간은 불확실하고 불완전한 존재이기 때문에   -1.06
   미신이나 미신 관련기사에 의존할 수도 있다고 생각한다.
13. 나는 인간의 힘을 해결하지 못하는 것이 있다고 보기 때   -1.17
   문에 가끔 미신 관련기사를 보는 편이다.
26. 나는 미신 관련기사가 확인이 안된 꽤 긍정적인 부분이   -1.47
   있다고 생각한다.
14. 나는 평소에 고민거리가 있거나 답답한 마음을 달래기 위   -1.59
   해서, 즉 심적 안정을 꾀하기 위해서 때때로 미신 관련기
   사를 읽는다.
28. 나는 미신 자체를 하나의 종교의 한 분야로서 인정했으면   -1.78
   하는 입장이므로 미신 관련기사에 대해서 호의적으로 생
   각한다.

ITEM DESCRIPTIONS AND DESCENDING ARRAY OF
DIFFERENCES BETWEEN TYPES 1 AND 2

                              1   2   DIFFERENCE

13. 나는 인간의 힘을 해결하지 못하는 1.630 -1.388   3.018
   것이 있다고 보기 때문에 가끔 미
   신 관련기사를 보는 편이다.

26. 나는 미신 관련기사가 확인이 안 1.455 -1.119   2.574
    된 꽤 긍정적인 부분이 있다고 생
    각한다.

14. 나는 평소에 고민거리가 있거나 답 1.620 -.558   2.178
    답한 마음을 달래기 위해서, 즉 심
    적 안정을 꾀하기 위해서 때때로
    미신 관련기사를 읽는다.

28. 나는 미신 자체를 하나의 종교의 .153 -1.918   2.072
    한 분야로서 인정했으면 하는 입
    장이므로 미신 관련기사에 대해서
    호의적으로 생각한다.

23. 나는 미신이라는 것이 세상살이 경 .607 -1.403   2.010
    험이 많은 연세가 지긋한 분들이
    믿고 있기 때문에 개인적으로 의존
    하는 편이다.

12. 나는 나의 미래의 운명과 신수에 .435 -1.479   1.914
    대한 궁금증으로 미신 관련 기사
    를 자주 접하는 편이다.

 3. 나는 어차피 인간은 불확실하고 불 .661 -1.079   1.740
    완전한 존재이기 때문에 미신이나
    미신 관련기사에 의존할 수도 있다
    고 생각한다.

25. 나는 미신이라는 것이 실제 세상살 1.381 -.331   1.712
    이에 있어서 가끔 필요한 처세술과
    같은 것들을 제공해 주는 면도 있
    다고 생각한다.

15. 나는 미신 관련기사를 믿는 편이다. .445 -1.194 1.639

24. 나는 미신을 학문적으로 연구할 가 -.520 -1.642 1.121
    치가 있다고 생각하기 때문에 미신
    관련기사를 자주 접한다.

 8. 나는 개인적으로 무엇인가 뚜렷한 .891 .189 .703
    관심사가 있을 때만 미신 관련 기
    사를 읽는다.

11. 나는 미신 관련기사가 어떤 기분전 1.361 .729 .631
    환이나 휴식을 제공하는 장점도 있
    다고 생각한다.

 7. 나는 미신 관련기사라는 것이 그저 1.272 .666 .605
    흥미거리, 심심풀이로 보는 경우가
    있다고 생각된다.

10. 나는 단순히 미신 관련기사를 비판 1.328 1.540 -.212
    하기 앞서 미신에 대한 올바른 인
    식이 필요하다고 생각한다.

21. 나는 미신 관련기사가 사회적 국가 -1.408 -.814 -.594
    적 차원으로 배척되어야 한다고 생
    각한다.

 9. 나는 미신 관련기사가 사회에 악영 -.773 -.090 -.683
    향 내지 부정적 영향을 미친다고
    생각한다.

 6. 나는 미신 관련기사가 너무 극단적 -.291 .682 -.973
    인 내용으로 사람들을 현혹시키고
    흥미를 유발하기 때문에 싫어한다.

20. 나는 미신이나 미신 관련기사와 같은 -1.153 -.120   -1.032
    것들이 없어져야 한다고 생각한다.

 5. 미신을 중요시하는 사람들은 자신 -.450   .595   -1.045
    에 대해 자신감이 없고 나약한 사
    람들이라고 생각한다. 따라서 나는
    미신 관련기사를 선호하지 않는다.

22. 나는 미신 관련기사가 사람들로 하 -.374   .676   -1.049
    여금 소극적인 사고방식을 갖게끔
    조장한다고 여겨지기 때문에 읽지
    않는다.

 4. 나는 자신의 의지에 따라서 운명이 .056   1.149   -1.093
    바뀌진다고 보기 때문에 미신 및
    미신 관련기사를 믿지 않는다.

27. 나는 21세기를 살아가는 현대인이 -.658   .522   -1.181
    라면 미신 관련기사 그 자체에 대
    해서 확실하게 무시해야 한다고
    생각한다.

18. 나는 미신 관련기사가 사람과 사회 -.732   .595   -1.327
    에 대해서 불신감을 조장하기 때문
    에 싫어한다.

 1. 나는 기독교 가정에서 자라왔기 때 -1.016   .478   -1.494
    문에 미신 관련기사와 같은 것들은
    개인적으로 모두 배격한다.

16. 나는 미신 관련기사를 거의 믿지 -1.354   .151   -1.505
    않는다.

16. 나는 미신 관련기사를 거의 믿지 -1.354   .151   -1.505
    않는다.

19. 나는 연말연시나 선거 때만 되면 -.426   1.139   -1.565
    연례행사처럼 등장하는 미신 관련
    기사들을 싫어한다.

2. 나는 미신이라는 것이 믿을 근거가 -.581   1.245   -1.826
    없는 한마디로 헛소리라고 생각하
    기 때문에 미신 관련기사를 믿지
    않는다.

30. 미신이라는 것이 이치에 어긋난 것 -.843   1.013   -1.856
    을 잘못 생각해서 믿고 있는 신앙,
    즉 믿어서는 안될 것을 믿는 것이
    미신이라고 생각하므로 미신 관련
    기사를 신뢰하지 않는다.

17. 나는 미신 관련기사에 거의 관심이 -1.572   .493   -2.065
    없다.

29. 나는 지적인 수준이 그리 높지 않 -1.143   1.274   -2.417
    은 보통 사람들이 주로 운세와 관
    련해서 근거 없이 믿는 것이 미신
    이므로 미신기사를 잘 보지 않는다.

ITEM DESCRIPTIONS AND DESCENDING ARRAY OF
DIFFERENCES BETWEEN TYPES 1 AND 3

                                            1   3   DIFFERENCE

15. 나는 미신 관련기사를 믿는 편이다. .445   -1.752   2.197

14. 나는 평소에 고민거리가 있거나 답 1.620 -.320 1.940
답한 마음을 달래기 위해서, 즉 심
적 안정을 꾀하기 위해서 때때로
미신 관련기사를 읽는다.

11. 나는 미신 관련기사가 어떤 기분전 1.361 -.494 1.855
환이나 휴식을 제공하는 장점도 있
다고 생각한다.

23. 나는 미신이라는 것이 세상살이 경 .607 -1.190 1.797
험이 많은 연세가 지긋한 분들이
믿고 있기 때문에 개인적으로 의존
하는 편이다.

12. 나는 나의 미래의 운명과 신수에 .435 -1.298 1.734
대한 궁금증으로 미신 관련기사를
자주 접하는 편이다.

13. 나는 인간의 힘을 해결하지 못하는 1.630 .242 1.388
것이 있다고 보기 때문에 가끔 미
신 관련기사를 보는 편이다.

25. 나는 미신이라는 것이 실제 세상살 1.381 .016 1.365
이에 있어서 가끔 필요한 처세술과
같은 것들을 제공해 주는 면도 있
다고 생각한다.

26. 나는 미신 관련기사가 확인이 안된 꽤 1.455 .578 .877
긍정적인 부분이 있다고 생각한다.

1. 나는 기독교 가정에서 자라왔기 때 -1.016 -1.870 .854
문에 미신 관련기사와 같은 것들은
개인적으로 모두 배격한다.

28. 나는 미신 자체를 하나의 종교의   .153   -.619   .772
    한 분야로서 인정했으면 하는 입장
    이므로 미신 관련기사에 대해서 호
    의적으로 생각한다.

3. 나는 어차피 인간은 불확실하고 불   .661   .014   .646
    완전한 존재이기 때문에 미신이나
    미신 관련기사에 의존할 수도 있다
    고 생각한다.

29. 나는 지적인 수준이 그리 높지 않 -1.143 -1.697   .554
    은 보통 사람들이 주로 운세와 관
    련해서 근거 없이 믿는 것이 미신
    이므로 미신기사를 잘 보지 않는다.

10. 나는 단순히 미신 관련기사를 비판 1.328   .799   .530
    하기 앞서 미신에 대한 올바른 인
    식이 필요하다고 생각한다.

24. 나는 미신을 학문적으로 연구할 가 -.520 -1.032   .512
    치가 있다고 생각하기 때문에 미신
    관련기사를 자주 접한다.

2. 나는 미신이라는 것이 믿을 근거가 -.581   -.970   .388
    없는 한마디로 헛소리 라고 생각하
    기 때문에 미신 관련기사를 믿지
    않는다.

8. 나는 개인적으로 무엇인가 뚜렷한   .891   1.087   -.196
    관심사가 있을 때만 미신 관련 기
    사를 읽는다.

18. 나는 미신 관련기사가 사람과 사회 -.732 -.509 -.224
에 대해서 불신감을 조장하기 때문
에 싫어한다.

7. 나는 미신 관련기사라는 것이 그저 1.272 1.580 -.308
흥미거리, 심심풀이로 보는 경우가
있다고 생각된다.

5. 미신을 중요시하는 사람들은 자신 -.450 .062 -.513
에 대해 자신감이 없고 나약한 사
람들이라고 생각한다. 따라서 나는
미신 관련기사를 선호하지 않는다.

22. 나는 미신 관련기사가 사람들로 하 -.374 .235 -.609
여금 소극적인 사고방식을 갖게끔
조장한다고 여겨지기 때문에 읽지
않는다.

19. 나는 연말연시나 선거 때만 되면 -.426 .446 -.873
연례행사처럼 등장하는 미신 관련
기사들을 싫어한다.

30. 미신이라는 것이 이치에 어긋난 것 -.843 .156 -.999
을 잘못 생각해서 믿고 있는 신앙,
즉 믿어서는 안될 것을 믿는 것이
미신이라고 생각하므로 미신 관련
기사를 신뢰하지 않는다.

20. 나는 미신이나 미신 관련기사와 같 -1.153 .016 -1.169
은 것들이 없어져야 한다고 생각
한다.

17. 나는 미신 관련기사에 거의 관심이 -1.572   -.398   -1.173
    없다.

 4. 나는 자신의 의지에 따라서 운명이 .056   1.393   -1.336
    바뀌진다고 보기 때문에 미신 및
    미신 관련기사를 믿지 않는다.

 6. 나는 미신 관련기사가 너무 극단적 -.291   1.393   -1.683
    인 내용으로 사람들을 현혹시키고
    흥미를 유발하기 때문에 싫어한다.

27. 나는 21세기를 살아가는 현대인이 -.658   1.064   -1.722
    라면 미신 관련기사 그 자체에 대
    해서 확실하게 무시해야 한다고 생
    각한다.

16. 나는 미신 관련기사를 거의 믿지 -1.354   .391   -1.746
    않는다.

21. 나는 미신 관련기사가 사회적 국가 -1.408   .807   -2.215
    적 차원으로 배척되어야 한다고 생
    각한다.

 9. 나는 미신 관련기사가 사회에 악영 -.773   1.870   -2.643
    향 내지 부정적 영향을 미친다고
    생각한다.

ITEM DESCRIPTIONS AND DESCENDING ARRAY OF
DIFFERENCES BETWEEN TYPES 1 AND 4

	1	4	DIFFERENCE
14. 나는 평소에 고민거리가 있거나 답답한 마음을 달래기 위해서, 즉 심적 안정을 꾀하기 위해서 때때로 미신 관련기사를 읽는다.	1.620	-1.585	3.205
26. 나는 미신 관련기사가 확인이 안된 꽤 긍정적인 부분이 있다고 생각한다.	1.455	-1.472	2.926
13. 나는 인간의 힘을 해결하지 못하는 것이 있다고 보기 때문에 가끔 미신 관련기사를 보는 편이다.	1.630	-1.173	2.802
11. 나는 미신 관련기사가 어떤 기분전환이나 휴식을 제공하는 장점도 있다고 생각한다.	1.361	-.945	2.305
10. 나는 단순히 미신 관련기사를 비판하기 앞서 미신에 대한 올바른 인식이 필요하다고 생각한다.	1.328	-.777	2.105
25. 나는 미신이라는 것이 실제 세상살이에 있어서 가끔 필요한 처세술과 같은 것들을 제공해 주는 면도 있다고 생각한다.	1.381	-.663	2.044

28. 나는 미신 자체를 하나의 종교의   .153   -1.781   1.934
    한 분야로서 인정했으면 하는 입장
    이므로 미신 관련기사에 대해서 호
    의적으로 생각한다.

 7. 나는 미신 관련기사라는 것이 그저   1.272   -.613   1.885
    홍미거리, 심심풀이로 보는 경우가
    있다고 생각된다.

 3. 나는 어차피 인간은 불확실하고 불   .661   -1.059   1.719
    완전한 존재이기 때문에 미신이나
    미신 관련기사에 의존할 수도 있다
    고 생각한다.

15. 나는 미신 관련기사를 믿는 편이다.   .445   -1.032   1.477

 8. 나는 개인적으로 무엇인가 뚜렷한   .891   -.478   1.369
    관심사가 있을 때만 미신 관련 기
    사를 읽는다.

12. 나는 나의 미래의 운명과 신수에   .435   -.918   1.353
    대한 궁금증으로 미신 관련기사를
    자주 접하는 편이다.

23. 나는 미신이라는 것이 세상살이 경   .607   -.537   1.144
    험이 많은 연세가 지긋한 분들이
    믿고 있기 때문에 개인적으로 의존
    하는 편이다.

24. 나는 미신을 학문적으로 연구할 가   -.520   -.608   .088
    치가 있다고 생각하기 때문에 미신
    관련기사를 자주 접한다.

4. 나는 자신의 의지에 따라서 운명이 .056　.196　　　-.139
바꿔진다고 보기 때문에 미신 및
미신 관련기사를 믿지 않는다.

19. 나는 연말연시나 선거 때만 되면 -.426　.245　　　-.671
연례행사처럼 등장하는 미신 관련
기사들을 싫어한다.

22. 나는 미신 관련기사가 사람들로 하 -.374　.478　　　-.851
여금 소극적인 사고방식을 갖게끔
조장한다고 여겨지기 때문에 읽지
않는다.

5. 미신을 중요시하는 사람들은 자신 -.450　.499　　　-.950
에 대해 자신감이 없고 나약한 사
람들이라고 생각한다. 따라서 나는
미신 관련기사를 선호하지 않는다.

18. 나는 미신 관련기사가 사람과 사회 -.732　.359　　　-1.091
에 대해서 불신감을 조장하기 때문
에 싫어한다.

27. 나는 21세기를 살아가는 현대인이 -.658　.445　　　-1.104
라면 미신 관련기사 그 자체에 대
해서 확실하게 무시해야 한다고 생
각한다.

30. 미신이라는 것이 이치에 어긋난 것 -.843　.527　　　-1.370
을 잘못 생각해서 믿고 있는 신앙,
즉 믿어서는 안될 것을 믿는 것이
미신이라고 생각하므로 미신 관련
기사를 신뢰하지 않는다.

6. 나는 미신 관련기사가 너무 극단적 -.291 1.086 -1.377
   인 내용으로 사람들을 현혹시키고
   흥미를 유발하기 때문에 싫어한다.

2. 나는 미신이라는 것이 믿을 근거가 -.581 1.118 -1.699
   없는 한마디로 헛소리라고 생각하
   기 때문에 미신 관련기사를 믿지
   않는다.

9. 나는 미신 관련기사가 사회에 악영 -.773 1.173 -1.946
   향 내지 부정적 영향을 미친다고
   생각한다.

1. 나는 기독교 가정에서 자라왔기 때 -1.016 1.177 -2.193
   문에 미신 관련기사와 같은 것들은
   개인적으로 모두 배격한다.

29. 나는 지적인 수준이 그리 높지 않 -1.143 1.140 -2.283
    은 보통 사람들이 주로 운세와 관
    련해서 근거 없이 믿는 것이 미신
    이므로 미신기사를 잘 보지 않는다.

20. 나는 미신이나 미신 관련기사와 같은 -1.153 1.325 -2.478
    것들이 없어져야 한다고 생각한다.

17. 나는 미신 관련기사에 거의 관심이 -1.572 1.032 -2.604
    없다.

21. 나는 미신 관련기사가 사회적 국가 -1.408 1.308 -2.717
    적 차원으로 배척되어야 한다고 생
    각한다.

16. 나는 미신 관련기사를 거의 믿지 -1.354 1.531 -2.886
    않는다.

ITEM DESCRIPTIONS AND DESCENDING ARRAY OF
DIFFERENCES BETWEEN TYPES 2 AND 3

	2	3	DIFFERENCE
29. 나는 지적인 수준이 그리 높지 않 은 보통 사람들이 주로 운세와 관 련해서 근거 없이 믿는 것이 미신 이므로 미신기사를 잘 보지 않는다.	1.274	-1.697	2.971
1. 나는 기독교 가정에서 자라왔기 때 문에 미신 관련기사와 같은 것들은 개인적으로 모두 배격한다.	.478	-1.870	2.348
2 .나는 미신이라는 것이 믿을 근거가 없는 한마디로 헛소리 라고 생각하 기 때문에 미신 관련기사를 믿지 않는다.	1.245	-.970	2.214
11. 나는 미신 관련기사가 어떤 기분전 환이나 휴식을 제공하는 장점도 있 다고 생각한다.	.729	-.494	1.223
18. 나는 미신 관련기사가 사람과 사회 에 대해서 불신감을 조장하기 때문 에 싫어한다.	.595	-.509	1.103
17. 나는 미신 관련기사에 거의 관심이 없다.	.493	-.398	.891

30. 미신이라는 것이 이치에 어긋난 것   1.013   .156   .856
    을 잘못 생각해서 믿고 있는 신앙,
    즉 믿어서는 안될 것을 믿는 것이
    미신이라고 생각하므로 미신 관련
    기사를 신뢰하지 않는다.

10. 나는 단순히 미신 관련기사를 비판   1.540   .799   .742
    하기 앞서 미신에 대한 올바른 인
    식이 필요하다고 생각한다.

19. 나는 연말연시나 선거 때만 되면   1.139   .446   .693
    연례행사처럼 등장하는 미신 관련
    기사들을 싫어한다.

15. 나는 미신 관련기사를 믿는 편이다. -1.194 -1.752   .558

 5. 미신을 중요시하는 사람들은 자신   .595   .062   .533
    에 대해 자신감이 없고 나약한 사
    람들이라고 생각한다. 따라서 나는
    미신 관련기사를 선호하지 않는다.

22. 나는 미신 관련기사가 사람들로 하   .676   .235   .441
    여금 소극적인 사고방식을 갖게끔
    조장한다고 여겨지기 때문에 읽지
    않는다.

20. 나는 미신이나 미신 관련기사와   -.120   .016   -.136
    같은 것들이 없어져야 한다고 생
    각한다.

12. 나는 나의 미래의 운명과 신수에 -1.479 -1.298   -.180
    대한 궁금증으로 미신 관련기사를
    자주 접하는 편이다.

23. 나는 미신이라는 것이 세상살이 경   -1.403   -1.190   -.213
    험이 많은 연세가 지긋한 분들이
    믿고 있기 때문에 개인적으로 의존
    하는 편이다.

14. 나는 평소에 고민거리가 있거나 답   -.558   -.320   -.238
    답한 마음을 달래기 위해서, 즉 심
    적 안정을 꾀하기 위해서 때때로
    미신 관련기사를 읽는다.

16. 나는 미신 관련기사를 거의 믿지   .151   .391   -.241
    않는다.

 4. 나는 자신의 의지에 따라서 운명이   1.149   1.393   -.244
    바꿔진다고 보기 때문에 미신 및
    미신 관련기사를 믿지 않는다.

25. 나는 미신이라는 것이 실제 세상살   -.331   .016   -.347
    이에 있어서 가끔 필요한 처세술과
    같은 것들을 제공해 주는 면도 있
    다고 생각한다.

27. 나는 21세기를 살아가는 현대인이   .522   1.064   -.541
    라면 미신 관련기사 그 자체에 대
    해서 확실하게 무시해야 한다고 생
    각한다.

24. 나는 미신을 학문적으로 연구할 가   -1.642   -1.032   -.610
    치가 있다고 생각하기 때문에 미신
    관련기사를 자주 접한다.

6. 나는 미신 관련기사가 너무 극단적   .682   1.393   -.711
   인 내용으로 사람들을 현혹시키고
   흥미를 유발하기 때문에 싫어한다.

8. 나는 개인적으로 무엇인가 뚜렷한   .189   1.087   -.898
   관심사가 있을 때만 미신 관련 기
   사를 읽는다.

7. 나는 미신 관련기사라는 것이 그저   .666   1.580   -.914
   흥미거리, 심심풀이로 보는 경우가
   있다고 생각된다.

3. 나는 어차피 인간은 불확실하고 불 -1.079   .014   -1.093
   완전한 존재이기 때문에 미신이나
   미신 관련기사에 의존할 수도 있다
   고 생각한다.

28. 나는 미신 자체를 하나의 종교의 -1.918 -.619   -1.300
   한 분야로서 인정했으면 하는 입장
   이므로 미신 관련기사에 대해서 호
   의적으로 생각한다.

21. 나는 미신 관련기사가 사회적 국가 -.814   .807   -1.621
   적 차원으로 배척되어야 한다고 생
   각한다.

13. 나는 인간의 힘을 해결하지 못하는 -1.388   .242   -1.630
   것이 있다고 보기 때문에 가끔 미
   신 관련기사를 보는 편이다.

26. 나는 미신 관련기사가 확인이 안 -1.119   .578   -1.697
   된 꽤 긍정적인 부분이 있다고 생
   각한다.

26. 나는 미신 관련기사가 확인이 안 -1.119   .578   -1.697
   된 꽤 긍정적인 부분이 있다고 생
   각한다.

9. 나는 미신 관련기사가 사회에 악영 -.090   1.870   -1.960
   향 내지 부정적 영향을 미친다고
   생각한다.

ITEM DESCRIPTIONS AND DESCENDING ARRAY OF
DIFFERENCES BETWEEN TYPES 2 AND 4

	2	4	DIFFERENCE
10. 나는 단순히 미신 관련기사를 비판 하기 앞서 미신에 대한 올바른 인 식이 필요하다고 생각한다.	1.540	-.777	2.317
11. 나는 미신 관련기사가 어떤 기분전 환이나 휴식을 제공하는 장점도 있 다고 생각한다.	.729	-.945	1.674
7. 나는 미신 관련기사라는 것이 그저 흥미거리, 심심풀이로 보는 경우가 있다고 생각된다.	.666	-.613	1.279
14. 나는 평소에 고민거리가 있거나 답 답한 마음을 달래기 위해서, 즉 심 적 안정을 꾀하기 위해서 때때로 미신 관련기사를 읽는다.	-.558	-1.585	1.027
4. 나는 자신의 의지에 따라서 운명이 바뀌진다고 보기 때문에 미신 및 미신 관련기사를 믿지 않는다.	1.149	.196	.954
19. 나는 연말연시나 선거 때만 되면 연례행사처럼 등장하는 미신 관련 기사들을 싫어한다.	1.139	.245	.894
8. 나는 개인적으로 무엇인가 뚜렷한 관심사가 있을 때만 미신 관련 기 사를 읽는다.	.189	-.478	.666

30. 미신이라는 것이 이치에 어긋난 것 1.013   .527   .486
    을 잘못 생각해서 믿고 있는 신앙,
    즉 믿어서는 안될 것을 믿는 것이
    미신이라고 생각하므로 미신 관련
    기사를 신뢰하지 않는다.

26. 나는 미신 관련기사가 확인이 안된 꽤 -1.119 -1.472   .353
    긍정적인 부분이 있다고 생각한다.

25. 나는 미신이라는 것이 실제 세상살 -.331   -.663   .332
    이에 있어서 가끔 필요한 처세술과
    같은 것들을 제공해 주는 면도 있
    다고 생각한다.

18. 나는 미신 관련기사가 사람과 사회 .595   .359   .236
    에 대해서 불신감을 조장하기 때문
    에 싫어한다.

22. 나는 미신 관련기사가 사람들로 하 .676   .478   .198
    여금 소극적인 사고방식을 갖게끔
    조장한다고 여겨지기 때문에 읽지
    않는다.

29. 나는 지적인 수준이 그리 높지 않 1.274   1.140   .134
    은 보통 사람들이 주로 운세와 관
    련해서 근거 없이 믿는 것이 미신
    이므로 미신기사를 잘 보지 않는다.

 2. 나는 미신이라는 것이 믿을 근거가 1.245   1.118   .127
    없는 한마디로 헛소리라고 생각하
    기 때문에 미신 관련기사를 믿지
    않는다.

5. 미신을 중요시하는 사람들은 자신   .595   .499   .096
   에 대해 자신감이 없고 나약한 사
   람들이라고 생각한다. 따라서 나는
   미신 관련기사를 선호하지 않는다.

27. 나는 21세기를 살아가는 현대인이   .522   .445   .077
   라면 미신 관련기사 그 자체에 대
   해서 확실하게 무시해야 한다고 생
   각한다.

3. 나는 어차피 인간은 불확실하고 불 -1.079 -1.059   -.020
   완전한 존재이기 때문에 미신이나
   미신 관련기사에 의존할 수도 있다
   고 생각한다.

28. 나는 미신 자체를 하나의 종교의   -1.918 -1.781   -.137
   한 분야로서 인정했으면 하는 입장
   이므로 미신 관련기사에 대해서 호
   의적으로 생각한다.

15. 나는 미신 관련기사를 믿는 편이다. -1.194 -1.032   -.162

13. 나는 인간의 힘을 해결하지 못하는 -1.388 -1.173   -.216
   것이 있다고 보기 때문에 가끔 미
   신 관련기사를 보는 편이다.

6. 나는 미신 관련기사가 너무 극단적   .682   1.086   -.404
   인 내용으로 사람들을 현혹시키고
   흥미를 유발하기 때문에 싫어한다.

17. 나는 미신 관련기사에 거의 관심이   .493   1.032   -.539
   없다.

12. 나는 나의 미래의 운명과 신수에 -1.479 -.918 -.561
    대한 궁금증으로 미신 관련기사를
    자주 접하는 편이다.

 1. 나는 기독교 가정에서 자라왔기 때 .478 1.177 -.699
    문에 미신 관련기사와 같은 것들은
    개인적으로 모두 배격한다.

23. 나는 미신이라는 것이 세상살이 경 -1.403 -.537 -.866
    험이 많은 연세가 지긋한 분들이
    믿고 있기 때문에 개인적으로 의존
    하는 편이다.

24. 나는 미신을 학문적으로 연구할 가 -1.642 -.608 -1.033
    치가 있다고 생각하기 때문에 미신
    관련기사를 자주 접한다.

 9. 나는 미신 관련기사가 사회에 악영 -.090 1.173 -1.263
    향 내지 부정적 영향을 미친다고
    생각한다.

16. 나는 미신 관련기사를 거의 믿지 .151 1.531 -1.381
    않는다.

20. 나는 미신이나 미신 관련기사와 -.120 1.325 -1.446
    같은 것들이 없어져야 한다고 생
    각한다.

21. 나는 미신 관련기사가 사회적 국가 -.814 1.308 -2.122
    적 차원으로 배척되어야 한다고 생
    각한다.

ITEM DESCRIPTIONS AND DESCENDING ARRAY OF
DIFFERENCES BETWEEN TYPES 3 AND 4

	3	4	DIFFERENCE
7. 나는 미신 관련기사라는 것이 그저 흥미거리, 심심풀이로 보는 경우가 있다고 생각된다.	1.580	-.613	2.193
26. 나는 미신 관련기사가 확인이 안된 꽤 긍정적인 부분이 있다고 생각한다.	.578	-1.472	2.050
10. 나는 단순히 미신 관련기사를 비판 하기 앞서 미신에 대한 올바른 인 식이 필요하다고 생각한다.	.799	-.777	1.575
8. 나는 개인적으로 무엇인가 뚜렷한 관심사가 있을 때만 미신 관련 기 사를 읽는다.	1.087	-.478	1.564
13. 나는 인간의 힘을 해결하지 못하는 것이 있다고 보기 때문에 가끔 미 신 관련기사를 보는 편이다.	.242	-1.173	1.414
14. 나는 평소에 고민거리가 있거나 답 답한 마음을 달래기 위해서, 즉 심 적 안정을 꾀하기 위해서 때때로 미신 관련기사를 읽는다.	-.320	-1.585	1.265
4. 나는 자신의 의지에 따라서 운명이 바꿔진다고 보기 때문에 미신 및 미신 관련기사를 믿지 않는다.	1.393	.196	1.197

28. 나는 미신 자체를 하나의 종교의   -.619   -1.781   1.162
    한 분야로서 인정했으면 하는 입장
    이므로 미신 관련기사에 대해서 호
    의적으로 생각한다.

 3. 나는 어차피 인간은 불확실하고 불   .014   -1.059   1.073
    완전한 존재이기 때문에 미신이나
    미신 관련기사에 의존할 수도 있다
    고 생각한다.

 9. 나는 미신 관련기사가 사회에 악영   1.870   1.173   .697
    향 내지 부정적 영향을 미친다고
    생각한다.

25. 나는 미신이라는 것이 실제 세상살   .016   -.663   .679
    이에 있어서 가끔 필요한 처세술과
    같은 것들을 제공해 주는 면도 있
    다고 생각한다.

27. 나는 21세기를 살아가는 현대인이   1.064   .445   .618
    라면 미신 관련기사 그 자체에 대
    해서 확실하게 무시해야 한다고 생
    각한다.

11. 나는 미신 관련기사가 어떤 기분전   -.494   -.945   .451
    환이나 휴식을 제공하는 장점도 있
    다고 생각한다.

 6. 나는 미신 관련기사가 너무 극단적   1.393   1.086   .307
    인 내용으로 사람들을 현혹시키고
    흥미를 유발하기 때문에 싫어한다.

19. 나는 연말연시나 선거 때만 되면   .446   .245   .201
    연례행사처럼 등장하는 미신 관련
    기사들을 싫어한다.

22. 나는 미신 관련기사가 사람들로 하   .235   .478   -.243
    여금 소극적인 사고방식을 갖게끔
    조장한다고 여겨지기 때문에 읽지
    않는다.

30. 미신이라는 것이 이치에 어긋난 것   .156   .527   -.370
    을 잘못 생각해서 믿고 있는 신앙,
    즉 믿어서는 안될 것을 믿는 것이
    미신이라고 생각하므로 미신 관련
    기사를 신뢰하지 않는다.

12. 나는 나의 미래의 운명과 신수에 -1.298   -.918   -.381
    대한 궁금증으로 미신 관련기사를
    자주 접하는 편이다.

24. 나는 미신을 학문적으로 연구할 가 -1.032   -.608   -.423
    치가 있다고 생각하기 때문에 미신
    관련기사를 자주 접한다.

 5. 미신을 중요시하는 사람들은 자신에   .062   .499   -.437
    대해 자신감이 없고 나약한 사람들
    이라고 생각한다. 따라서 나는 미신
    관련 기사를 선호하지 않는다.

21. 나는 미신 관련기사가 사회적 국가   .807   1.308   -.501
    적 차원으로 배척되어야 한다고 생
    각한다.

23. 나는 미신이라는 것이 세상살이 경 -1.190   -.537   -.653
      험이 많은 연세가 지긋한 분들이
      믿고 있기 때문에 개인적으로 의존
      하는 편이다.

15. 나는 미신 관련기사를 믿는 편이다. -1.752 -1.032   -.720

18. 나는 미신 관련기사가 사람과 사회   -.509   .359   -.867
      에 대해서 불신감을 조장하기 때문
      에 싫어한다.

16. 나는 미신 관련기사를 거의 믿지   .391   1.531   -1.140
      않는다.

20. 나는 미신이나 미신 관련기사와   .016   1.325   -1.309
      같은 것들이 없어져야 한다고 생
      각한다.

17. 나는 미신 관련기사에 거의 관심이 -.398   1.032   -1.430
      없다.

2. 나는 미신이라는 것이 믿을 근거가 -.970   1.118   -2.088
     없는 한마디로 헛소리 라고 생각하
     기 때문에 미신 관련기사를 믿지
     않는다.

29. 나는 지적인 수준이 그리 높지 않은 -1.697   1.140   -2.837
      보통 사람들이 주로 운세와 관련해
      서 근거 없이 믿는 것이 미신이므로
      미신 기사를 잘 보지 않는다.

1. 나는 기독교 가정에서 자라왔기 때 -1.870   1.177   -3.047
     문에 미신 관련기사와 같은 것들은
     개인적으로 모두 배격한다.

ITEMS AND Z-SCORES GREATER OR LESS THAN
CORRESPONDING ARRAY Z'S
TYPE 1 ITEMS GREATER THAN ALL OTHERS

	Z-SCORE	AVERAGE OR NEAREST Z	DIFF
14. 나는 평소에 고민거리가 있거나 답답한 마음을 달래기 위해서, 즉 심적 안정을 꾀하기 위해서 때때로 미신 관련기사를 읽는다.	1.620	-.821	2.441
13. 나는 인간의 힘을 해결하지 못하는 것이 있다고 보기 때문에 가끔 미신 관련기사를 보는 편이다.	1.630	-.773	2.403
26. 나는 미신 관련기사가 확인이 안된 꽤 긍정적인 부분이 있다고 생각한다.	1.455	-.671	2.126
15. 나는 미신 관련기사를 믿는 편이다.	.445	-1.326	1.771
25. 나는 미신이라는 것이 실제 세상살이에 있어서 가끔 필요한 처세술과 같은 것들을 제공해 주는 면도 있다고 생각한다.	1.381	-.326	1.707
12. 나는 나의 미래의 운명과 신수에 대한 궁금증으로 미신 관련기사를 자주 접하는 편이다.	.435	-1.232	1.667
23. 나는 미신이라는 것이 세상살이 경험이 많은 연세가 지긋한 분들이 믿고 있기 때문에 개인적으로 의존하는 편이다.	.607	-1.043	1.651

11. 나는 미신 관련기사가 어떤 기분전   1.361   -.237   1.597
    환이나 휴식을 제공하는 장점도 있
    다고 생각한다.

28. 나는 미신 자체를 하나의 종교의   .153   -1.439   1.593
    한 분야로서 인정했으면 하는 입장
    이므로 미신 관련기사에 대해서 호
    의적으로 생각한다.

 3. 나는 어차피 인간은 불확실하고 불   .661   -.708   1.368
    완전한 존재이기 때문에 미신이나
    미신 관련기사에 의존할 수도 있다
    고 생각한다.

24. 나는 미신을 학문적으로 연구할 가   -.520   -1.094   .574
    치가 있다고 생각하기 때문에 미신
    관련기사를 자주 접한다.

TYPE 1 ITEMS LESS THAN ALL OTHERS * * * * * * * * *

 5. 미신을 중요시하는 사람들은 자신   -.450   .386   -.836
    에 대해 자신감이 없고 나약한 사
    람들이라고 생각한다. 따라서 나는
    미신 관련기사를 선호하지 않는다.

22. 나는 미신 관련기사가 사람들로 하   -.374   .463   -.836
    여금 소극적인 사고 방식을 갖게끔
    조장한다고 여겨지기 때문에 읽지
    않는다.

4. 나는 자신의 의지에 따라서 운명이 바꿔진다고 보기 때문에 미신 및 미신 관련기사를 믿지 않는다.	.056	.912	-.856
18. 나는 미신 관련기사가 사람과 사회에 대해서 불신감을 조장하기 때문에 싫어한다.	-.732	.148	-.881
19. 나는 연말연시나 선거 때만 되면 연례행사처럼 등장하는 미신 관련 기사들을 싫어한다.	-.426	.610	-1.036
27. 나는 21세기를 살아가는 현대인이라면 미신 관련기사 그 자체에 대해서 확실하게 무시해야 한다고 생각한다.	-.658	.677	-1.336
6. 나는 미신 관련기사가 너무 극단적인 내용으로 사람들을 현혹시키고 흥미를 유발하기 때문에 싫어한다.	-.291	1.054	-1.344
30. 미신이라는 것이 이치에 어긋난 것을 잘못 생각해서 믿고 있는 신앙, 즉 믿어서는 안될 것을 믿는 것이 미신 이라고 생각하므로 미신 관련 기사를 신뢰하지 않는다.	-.843	.565	-1.408
20. 나는 미신이나 미신 관련기사와 같은 것들이 없어져야 한다고 생각한다.	-1.153	.407	-1.560
9. 나는 미신 관련기사가 사회에 악영향 내지 부정적 영향을 미친다고 생각한다.	-.773	.984	-1.757

21. 나는 미신 관련기사가 사회적 국가   -1.408   .434   -1.842
    적 차원으로 배척 되어야 한다고
    생각한다.
17. 나는 미신 관련기사에 거의 관심이   -1.572   .375   -1.947
    없다.
16. 나는 미신 관련기사를 거의 믿지   -1.354   .691   -2.046
    않는다.

TYPE 2 ITEMS GREATER THAN ALL OTHERS
        Z-SCORE   AVERAGE OR NEAREST Z   DIFF

29. 나는 지적인 수준이 그리 높지 않   1.274   -.567   1.841
    은 보통 사람들이 주로 운세와 관
    련해서 근거 없이 믿는 것이 미신
    이므로 미신기사를 잘 보지 않는다.
 2. 나는 미신이라는 것이 믿을 근거가 없   1.245   -.144   1.389
    는 한마디로 헛소리 라고 생각하기 때
    문에 미신 관련기사를 믿지 않는다.
10. 나는 단순히 미신 관련기사를 비판   1.540   .450   1.090
    하기 앞서 미신에 대한 올바른 인
    식이 필요하다고 생각한다.
30. 미신이라는 것이 이치에 어긋난 것   1.013   -.053   1.066
    을 잘못 생각해서 믿고 있는 신앙,
    즉 믿어서는 안될 것을 믿는 것이
    미신이라고 생각하므로 미신 관련
    기사를 신뢰하지 않는다.

19. 나는 연말연시나 선거 때만 되면   1.139   .088   1.051
    연례행사처럼 등장하는 미신 관련
    기사들을 싫어한다.

18. 나는 미신 관련기사가 사람과 사회   .595   -.294   .889
    에 대해서 불신감을 조장하기 때문
    에 싫어한다.

22. 나는 미신 관련기사가 사람들로 하여   .676   .113   .563
    금 소극적인 사고방식을 갖게끔 조장
    한다고 여겨지기 때문에 읽지 않는다.

 5. 미신을 중요시하는 사람들은 자신에   .595   .037   .558
    대해 자신감이 없고 나약한 사람들
    이라고 생각한다. 따라서 나는 미신
    관련 기사를 선호하지 않는다.

TYPE 2 ITEMS LESS THAN ALL OTHERS * * * * * * * * *

12. 나는 나의 미래의 운명과 신수에   -1.479   -.594   -.885
    대한 궁금증으로 미신 관련기사를
    자주 접하는 편이다.

24. 나는 미신을 학문적으로 연구할 가   -1.642   -.720   -.921
    치가 있다고 생각하기 때문에 미신
    관련기사를 자주 접한다.

 3. 나는 어차피 인간은 불확실하고 불   -1.079   -.128   -.951
    완전한 존재이기 때문에 미신이나
    미신 관련기사에 의존할 수도 있다
    고 생각한다.

23. 나는 미신이라는 것이 세상살이 경   -1.403   -.373   -1.030
    험이 많은 연세가 지긋한 분들이
    믿고 있기 때문에 개인적으로 의존
    하는 편이다.

28. 나는 미신 자체를 하나의 종교의   -1.918   -.749   -1.170
    한 분야로서 인정 했으면 하는 입
    장이므로 미신 관련기사에 대해서
    호의적으로 생각한다.

13. 나는 인간의 힘을 해결하지 못하는   -1.388   .233   -1.621
    것이 있다고 보기 때문에 가끔 미
    신 관련기사를 보는 편이다.

TYPE 3 ITEMS GREATER THAN ALL OTHERS
        Z-SCORE   AVERAGE OR NEAREST Z   DIFF

9. 나는 미신 관련기사가 사회에 악영   1.870   .103   1.766
    향 내지 부정적 영향을 미친다고
    생각한다.

7. 나는 미신 관련기사라는 것이 그저   1.580   .441   1.138
    흥미거리, 심심풀이로 보는 경우가
    있다고 생각된다.

27. 나는 21세기를 살아가는 현대인이   1.064   .103   .960
    라면 미신 관련기사 그 자체에 대
    해서 확실하게 무시해야 한다고 생
    각한다.

4. 나는 자신의 의지에 따라서 운명이   1.393   .467   .926
바뀌진다고 보기 때문에 미신 및
미신 관련기사를 믿지 않는다.
6. 나는 미신 관련기사가 너무 극단적   1.393   .492   .900
인 내용으로 사람들을 현혹시키고
흥미를 유발하기 때문에 싫어한다.
8. 나는 개인적으로 무엇인가 뚜렷한   1.087   .201   .886
관심사가 있을 때만 미신 관련 기
사를 읽는다.

TYPE 3 ITEMS LESS THAN ALL OTHERS * * * * * * * *
15. 나는 미신 관련기사를 믿는 편이다.   -1.752   -.594   -1.159
2. 나는 미신이라는 것이 믿을 근거가   -.970   .594   -1.564
없는 한마디로 헛소리라고 생각하
기 때문에 미신 관련기사를 믿지
않는다.
1. 나는 기독교 가정에서 자라왔기 때   -1.870   .213   -2.083
문에 미신 관련 기사와 같은 것들
은 개인적으로 모두 배격한다.
29. 나는 지적인 수준이 그리 높지 않   -1.697   .424   -2.121
은 보통 사람들이 주로 운세와 관
련해서 근거 없이 믿는 것이 미신
이므로 미신기사를 잘 보지 않는다.

TYPE 4 ITEMS GREATER THAN ALL OTHERS
      Z-SCORE AVERAGE OR NEAREST Z DIFF

1. 나는 기독교 가정에서 자라왔기 때 1.177 -.802 1.980
   문에 미신 관련기사와 같은 것들은
   개인적으로 모두 배격한다.

21. 나는 미신 관련기사가 사회적 국가 1.308 -.472 1.780
   적 차원으로 배척되어야 한다고 생
   각한다.

20. 나는 미신이나 미신 관련기사와 같은 1.325 -.419 1.744
   것들이 없어져야 한다고 생각한다.

17. 나는 미신 관련기사에 거의 관심이 1.032 -.492 1.524
   없다.

TYPE 4 ITEMS LESS THAN ALL OTHERS * * * * * * * *

1. 나는 기독교 가정에서 자라왔기 때 1.177 -.802 1.980
   문에 미신 관련기사와 같은 것들은
   개인적으로 모두 배격한다.

25. 나는 미신이라는 것이 실제 세상살 -.663 .355 -1.018
   이에 있어서 가끔 필요한 처세술과
   같은 것들을 제공해 주는 면도 있
   다고 생각한다.

8. 나는 개인적으로 무엇인가 뚜렷한 -.478 .722 -1.200
   관심사가 있을 때만 미신 관련 기
   사를 읽는다.

11. 나는 미신 관련기사가 어떤 기분전   -.945   .532   -1.477
    환이나 휴식을 제공하는 장점도 있
    다고 생각한다.
26. 나는 미신 관련기사가 확인이 안   -1.472   .305   -1.776
    된 꽤 긍정적인 부분이 있다고
    생각한다.
 7. 나는 미신 관련기사라는 것이 그저   -.613   1.172   -1.786
    흥미거리, 심심풀이로 보는 경우가
    있다고 생각된다.
14. 나는 평소에 고민거리가 있거나 답   -1.585   .247   -1.833
    답한 마음을 달래기 위해서, 즉 심
    적 안정을 꾀하기 위해서 때때로
    미신 관련기사를 읽는다.
10. 나는 단순히 미신 관련기사를 비판   -.777   1.222   -1.999
    하기 앞서 미신에 대한 올바른 인
    식이 필요하다고 생각한다.

CONSENSUS ITEMS AND AVERAGE Z-SCORES.
CRITERION IS 1.000
  ITEM DESCRIPTION   AVERAGE Z-SCORE

  NO CONSENSUS ITEMS

  END OF ANALYSIS
  end.

• 저자 •

이제영

•약 력•
한국외국어대학교 인도어과 문학사
한국외국어대학교 대학원 신문방송학과 정치학 석사
한국외국어대학교 대학원 신문방송학과 정치학 박사
현) (사)한국옥외광고학회 학술지원이사
현) 한국정치커뮤니케이션학회 교육이사
현) (사)한국지역산업진흥학회 총무이사
한중미래연구소 객원연구원(중국 산동대 위해분교)
(사)미디어미래연구소 책임연구원
전국대학생토론대회 심사위원
국제고속철협력포럼 자문위원
한국외국어대학교 언론정보연구소 초빙연구원
한국외국어대, 서울산업대, 인천대 강사
현) 관동대학교 광고홍보학과 조교수

•주요논저•
「방송규제 정책의 패러다임 변화에 관한 연구」
「시청자 참여와 비디오 저널리즘 프로그램에 대한 연구」(공저)
「영화포스터광고의 포스트모더니즘적 표현양식에 관한 고찰」
「IT융합시대 매체소유와 교차소유규제에 대한 연구」(공저)
「방송사의 지배구조개선에 관한 시론적 연구」(공저)
「대학교수의 비언어적 요소가 수업성취도에 미치는 영향에 관한 연구」(공저)
「옥외광고의 포스트모더니즘적 표현양식에 관한 연구」(공저)
「옥외광고의 비언어적 특성에 관한 주관성 연구」(공저)
「통신방송 융합에 따른 겸영규제의 문제」(공저)
「디지털 시대 대학생의 정치 참여의식에 관한 주관성 유형 연구」
「디지털 미디어융합시대 방송의 공영성 개념」(공저)
「방송·통신 융합에 따른 법과 제도의 개선방안」(공저)
「디지털 방송에 대한 수용자 인식에 관한 연구」(공저)
「유비쿼터스 환경에 대한 언론보도와 수용자의 인식유형에 관한 연구」(공저)
「한·중 인터넷 이용자들의 한국영화 이해에 관한 비교 연구」(공저)
「디지털 시대의 한류현상에 관한 수용행태 연구」(공저)
「디지털 컨버전스 시대의 소비자 매체 이용행태 유형」
「유비쿼터스와 미디어 환경의 변화에 따른 콘텐츠 수급방안」(공저)
「국가 이미지와 브랜드에 관한 유형화 연구」(공저)
『한국무예의 역사 문화적 조명』(공저)
『2005 정보통신연감』(공저)
『디지털 시대 방송의 공영성』
『CT정책산업개론』
외 다수

※ E-mail : jylee1231@kwandong.ac.kr

매스미디어와 미신

• 초판 인쇄	2008년 6월 10일
• 초판 발행	2008년 6월 10일
• 지 은 이	이제영
• 펴 낸 이	채종준
• 펴 낸 곳	한국학술정보㈜
	경기도 파주시 교하읍 문발리 513-5
	파주출판문화정보산업단지
	전화 031) 908-3181(대표) · 팩스 031) 908-3189
	홈페이지 http://www.kstudy.com
	e-mail(출판사업부) publish@kstudy.com
• 등 록	제일산-115호(2000. 6. 19)
• 가 격	17,000원

ISBN 978-89-534-9295-0 93070 (Paper Book)
　　　978-89-534-9296-7 98070 (e-Book)